ふら語 "即席(ソクセキ)" 入門

フランス人がわが家にやってきた！

杉浦 順子
的場 寿光

トレフル出版

はじめに

『フランス人がわが家にやって来た!』は、フランスにパティシエ修行に行った吉田家の娘ミホが、突然、フランス人の恋人リュックを連れて家に帰ってくるところからスタートします。

この本を手に取られた方の中には、フランスに関心があったわけではないのに、本当にこんな吉田夫妻的な状況におかれてしまった方もいらっしゃるかもしれません。また、すでにこの吉田家の段階を通り越して、かわいいお孫さんがフランス語圏にお住まいの方もいらっしゃるかもしれません。他にも、数か月前に大学でフランス語を始めたばかりの方や、逆に何十年も前に大学でやったきりの方、お菓子修行の傍らフランス語に興味を持った方、数日の滞在でフランスに惚れ込んだものの語学学習までは億劫で手が出なかった方などなど、いろいろな方がいらっしゃることと思います。本書は、そんな方々すべてに、できるだけ文法の苦痛を感じることなく、フランス語の世界に親しんでいただくことを目標にしています。

また「フランス語」というと「オシャレ」なイメージで、なんとなく敷居が高く感じられていた方もいらっしゃるでしょう。でも、この本に出てくるのは普通のフランス語、普段だれもが(お父さんもお母さんも)口にしているような日常的なフランス語です。どなたでも、気軽に手に取り、気取らずくつろいで学習していただけたらと思います。そこには思っていたよりずっと身近な、普段着のフランス語の世界があるはずです。

というわけで、この本を開く方はぜひとも、(ヨシオのように?)羞恥心を捨てることをまず第一に心がけ、手よりも口を動かしてください。わずかな語彙と基礎の文法知識だけでもなんとかコミュニケーションできるフランス語を身に着けていきましょう。

はじめに企画してから、ようやくこのような本の形をとるまで、たくさんの方にご協力をいただきました。

日本語だけでなくフランス語、そしてコラムの文化事情まで目を通してくれた井上京子さん、フランス語をチェックしてくれたJean-Christophe Ballionさん、発音練習を中心にフランス語と発音に目を光らせてくれた志水じゅんさん、私たちのわがままを聞き入れて、なんども書き直してくださったイラスト担当のサード大沼さん、あらためて心よりお礼を申し上げます。

そして、私たちのアイディアにいち早く関心を持ち、出版までこぎつけてくださった編集者の山田仁さんと、実際の作業をともに歩んでくださった河合美和さんのお二人に、心より感謝申し上げます。

著者

本書の使い方

> フランス語のセリフがこの scène（場面）のキーフレーズ。イラストや日本語のセリフから、どのような状況で、どういう意味のフランス語が発せられているのか、まずは想像してみましょう。

> 会話に出てくる基礎的な文法事項をとりあげ、要点を簡潔に説明しています。

> La clef とは、フランス語で「鍵」。文法事項の補足、発音や表現に関するワンポイントの紹介。

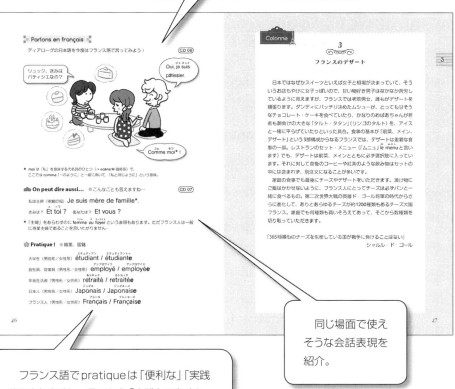

1ページ目と同じマンガ風イラストですが、会話部分の日本語とフランス語が1ページ目と反転しています。ページを持ち上げれば、すぐに対応する日本語やフランス語が出て来る仕組みです。

フランス語でpratiqueは「便利な」「実践的な」を意味し、そこから「実践」の意味も。というわけで、ここでは各sceneの内容に関連した、使える単語を紹介。テーマ別簡易単語帳としても使えます。

同じ場面で使えそうな会話表現を紹介。

本書の音声は特別サイトにて全て視聴いただけます。右のQRコードでアクセスいただくか、以下のサイトまでアクセスしてください。

https://www.trefle.press/wagaya01

5

● 目次 ●

6

Demande en mariage

·· プロポーズ

「～だといいなあ」：接続法

Pratique！ ● 結婚にまつわる言葉

●●● p.188

◆本書で覚える動詞です。音声はトラックごとにこの順番で収録されています。

直説法現在形	
CD 93	être
	avoir
	jouer
	aimer
CD 94	faire
	servir
	vouloir
	pouvoir
	aller
	venir
	prendre
	choisir
	voir
	se coucher

直説法複合過去形	
CD 95	regarder
	aller
直説法半過去形	
CD 96	faire
条件法（緩和）	
CD 97	vouloir
	pouvoir
	aimer
接続法	
CD 98	être

本書の音声は特別サイトにて全て視聴いただけます。
右のQRコードでアクセスいただくか、以下のサイト
までアクセスしてください。

https://www.trefle.press/wagaya01

×印がついている表現は、相当するものがないので、矢印のあとに代わりに言える言葉を提案しています。

日本語	フランス語	
おはよう（ございます）	**Bonjour**	(CD 91)
こんにちは	**Bonjour**	
こんばんは（夕方）	**Bonsoir**	
おやすみなさい	**Bonne nuit**	
さようなら	**Au revoir**	
×（よい一日／夕べを）	**Bonne journée / Bonne soirée**	
×（よい週末を）	**Bon week-end !**	
またね、じゃあまた	**À bientôt**	
また明日	**À demain**	
じゃ、月曜日に	**À lundi**	
じゃ、後ほど	**À tout à l'heure !**	
また来週	**À la semaine prochaine**	
ありがとう／ どうもありがとう	**Merci / Merci beaucoup**	
ごめんください	**Bonjour / Bonsoir**	
いってきます	×→ **Au revoir / Bonne journée; Salut, etc.**	
いってらっしゃい	×→ **Au revoir / Bonne journée; Salut, etc.**	
ただいま	×→ **C'est moi. Je suis de retour. / Bonjour, Bonsoir, etc.**	
いただきます	×	
△（どうぞ召し上がれ）	**Bon appétit !**	
ごちそうさま	×→ **Merci, c'était très bon**	
お願い／お願いします	**S'il te plaît / S'il vous plaît**	
（人を呼ぶ）すみません	**Pardon / S'il vous plaît**	
よろしくお願いします	×	
お疲れさまでした	×	
ご苦労様です	×→ **Merci pour votre service**	
お先に失礼します	×→ **Au revoir, Bonne journée, etc.**	

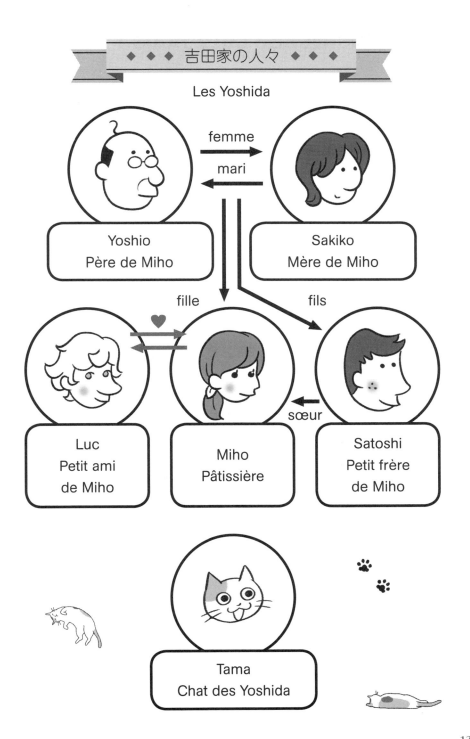

Bienvenue chez nous !

ビアンヴニュ　シェ　ヌ

··· わが家へようこそ！

ko-nichiwa…
コ　ニチワ
Enchanté !*
アンシャンテ

わが家へ
ようこそ！

ただいまー
お母さん、
リュックよ。

* enchanté の最後の e の上についた記号（アクサン）→ 隣のページ La clef

Un peu de grammaire　ちょっと文法

🐾 簡単な自己紹介をマスターしよう！

(1)　あいさつ　**Bonjour**（ボンジューる）　おはようございます、こんにちは

　　　　　　　Bonsoir（ボンソワーる）　こんばんは

(2)　自分の名前を言う　**Je m'appelle Luc.**（ジュ マペル リュック）　　リュックと言います。

　　　　　　　　　　— Moi, (c'est*) Sakiko.（モワ セ）　私はサキコ（です）。

　　　　　　　　　　　　★ C'est ～「それは～です」→ scène 5

(3)　どうぞよろしく　**Enchanté !**（アンシャンテ）　　　　どうぞよろしく！

　　　　　　　　　— Enchantée !（アンシャンテ）　　　どうぞよろしく！

　初対面の人に言う「どうぞよろしく」は、enchanté。リュックとサキコさんとでは、綴りが少し違いますね。サキコさんの方には、女性であることを表す e がついています（でもここでは発音は同じ！）。たとえば、メールや手紙で初めての人とやり取りするとき、この enchanté(e) の形を見れば、相手の性別がわかるのです。
女性形を表す印は「**e 女**（いいおんな）の e」と覚えておきましょう。

→ scène 11 形容詞の性数

La clef 🐱 ポイント ● 綴り字記号

　街で見かけるフランス語で à や é を見たことはありませんか？英語にはないフランス語の綴り字記号です。

é：アクサン・テギュ　café（キャフェ）　コーヒー、カフェ

à, è, ù：アクサン・グラーヴ　bière（ビエーる）　ビール

â, ê, î, ô, û：アクサン・シルコンフレックス　hôtel（オテル）　ホテル

ç：セディーユ　Français（ふらんせ）　フランス人

ë, ï, ü：トゥレマ　Noël（ノエル）　クリスマス

　「アクサン」は英語のアクセントと違い、音を強調する記号ではありません。綴りが同じふたつの単語を区別する場合（«où»（ウ） と «ou»（ウ） など）もあれば、通常と違う読み方にするためにつける場合もあります。たとえば、«e» の字。アクサンがある «é» や «è» は（厳密に言えば違う音ですが）どちらも「エ」と発音します。

❊ Parlons en français ❊

ディアローグの日本語を今度はフランス語で言ってみよう！　CD 01

＊「ただいま」ほか、あいさつのことば → scène 2 と p.12「あいさつ、いろいろ」

☁ On peut dire aussi...　●こんなことも言えますね…　CD 02

ボンジューる　　　マダム　　　　ボンソワーる　　　　　マドモワゼル
Bonjour, madame. Bonsoir, mademoiselle !
めるスィ　　　ムスュー
Merci, monsieur.　ムッシュー、ありがとうございます。

🦉 Bonjour や Bonsoir、merci「ありがとう」のあとに、monsieur や madame, mademoiselle
をつけると、より丁寧だよ。

❀ Pratique !　●家族をさす言葉 1

　　　パパ　　　　　　　　　　マモン
パパ **papa**　　ママ **maman**
　　　　　　バピィ　　ペペ　　　　　　　　　　マミー　　　　　メメ
おじいちゃん **papi, pépé**　おばあちゃん **mamie, mémé**
　　　　　　　　　　　　　　　　モン　プチ　　　　　マ　プチトゥ　　　　　　　マ　ピュス
子どもや孫などに対して（男）**mon petit** /（女）**ma petite** /（男女とも）**ma puce**

　フランスでは、大きくなっても自分の両親を呼ぶ時は「パパ」「ママ」と呼ぶのが普通。
兄弟姉妹では「おにいちゃん」「おねえちゃん」とは呼ばずに、名前で呼びます。

→ 吉田家の人々（p.13）

1

出会い、あいさつのジェスチャー

　皆さんが、きっと空港で最初にお目にかかるフランス語は「ようこそ」Bienvenueでしょう。よく後ろに場所を表す表現をともなって使います。

Bienvenue à Paris !　　パリへ、ようこそ！

Bienvenue chez nous !　わが家へ、ようこそ！

　空港で荷物を受け取るあたりまでくると、今度はいろいろな言葉とともに「出会いのジェスチャー」にお目にかかるでしょう。握手やハグ（軽く抱き合う）、合掌など、各国にはさまざまな出会いのジェスチャーがありますが、フランスで皆さんがまず目にするのは、「ビズ」une biseでしょう。ビズというのは、軽くほおとほおを寄せ合ってする挨拶です。家族や親しい間柄では性別に関係なく、出会ったときにビズを交わします。男性同士や仕事の関係では握手を交わす方が普通ですが、男性と女性、女性と女性の場合には、お友達同士でビズを交わします。

　ビズの回数は地方によってさまざま。パリでは普通、両側に1回ずつで、計2回。でも別の地方の人とするときは、「あら、うちの方じゃ3回よ」なんて言われて、2回でやめようとしたところをまた引き戻されて、はい3回目！と（いささか強引な）ビズを交わしたり、なんてこともあります。

　ビズは軽くするキス。「チュッ」と口で音をさせて軽く頬を触れあわせても、唇はほとんど触れません。あまりに可愛いからと小さい子に勢いあまって愛情たっぷりのべったりビズをしてしまうと、かえって「ぬれたビズ」une bise mouilléeのせいで、子供には嫌われちゃいますから、ご用心。

17

Bonjour

.... こんにちは

Un peu de grammaire ちょっと文法

2

🐾 主語になる代名詞（主語人称代名詞）1

「私は」や「あなたは」のように、文章の主語になる代名詞です。ここでは、まず会話で真っ先に必要になる主語人称代名詞「私は」と、ふたつの二人称「あなたは」「きみは」を見ましょう。

話す相手が家族や親しい人なら **tu**、それ以外の人に対しては **vous** を使います。フランス語は、je もほかの人称代名詞も文頭に来た時だけ、最初の一字を大文字にします。

🐱 相手が複数（「きみたちは」、「あなたたちは」）だと、いつでも **vous** で話すよ。

🐾 あいさつ 2　いろいろな「元気？」

・vous で話す人に

> コ モン タ レ ヴ
> Comment allez-vous ?
> ヴ ザレ ビアン
> Vous allez bien ?

・tu で話す人と

> サ ヴァ
> Ça va ?
> テュ ヴァ
> Tu vas bien ?

「元気？」と聞かれたら、どの相手にもこんな風に答えることができます

😄 トレ メルスィ Très bien, merci. はい、とても元気です。

🙂 Bien, merci. ／ Ça va, merci. はい、元気です。

🙂 バ マル Pas mal. いいですよ。

😟 ボフ Bof.♠ イマイチ。（親しい間柄で、使いましょう）　　　♠くだけた言い方

La clef 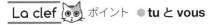 ポイント ●tu と vous

「きみ」tu と「あなた」vous を使い分ける感覚はなかなか難しいものです。基本的に、年齢差に関係なく親しい間柄では tu を、子どもに話しかけるときにも tu を使います。
「vous で話す」（これを vouvoyer と言います）方が丁寧ですが、同時にそれは心理的な距離感も表しています。さて、リュックはミホのお父さんと「tu で話す」（tutoyer と言います）仲になれるでしょうか。

ディアローグの日本語を今度はフランス語で言ってみよう！　　　CD 03

チアン　サリュ
Tiens*, salut !

Ah, Satoshi,
ネ ス パ
n'est-ce pas** ?

Do, domo
B... bonjour

こんにちは！
元気 ？

★tiens は、「おや」「まぁ」など軽い驚きを示したり、「ほら」など相手の注意をひく表現。
　動詞 tenir「つかむ」の命令形から来ています。
★★n'est-ce pas は、文末につけて「〜じゃない？」と念を押す表現。

🐚 On peut dire aussi... ●こんなことも言えますね…　　　CD 04

Salut ! Ça va ?　やぁ！元気？

salut は親しい人と交わすあいさつで、bonjour や bonsoir の代わりに使います。
bonsoir と同じように、別れるときにも使うことが出来ます。

❀ Pratique !　●さらに…あいさつ

いちばん一般的な「さようなら」は au revoir。親しい友達には salut のほか、イタ
リア語の ciao もよく使います。もうちょっと愛想をつけたい人は、au revoir や salut
に続けて、こんな風にどうぞ。

ボンヌ　　ジュルネ　　　ボンヌ　　ソワれ
Bonne journée! / Bonne soirée!　よい一日を／よい夕べを
ボン　　ウィケンド
Bon week-end　よい週末を（金曜日などに使う）
ア ヴ　　オッスィ　ア トワ　オッスィ
Merci, à vous aussi /à toi aussi　ありがとう、あなたもね / きみもね

→ p.12「あいさつ、いろいろ」

2

フランスのあいさつ

　「こんにちは！」Bonjour ！はフランスで一番よく聞く言葉のひとつ
ですね。日が出ている間使う言葉なので（bon ＝ よい jour ＝ 日）、日
本語の「おはようございます」と「こんにちは」の両方をかねています。
　顔見知りと出会ったときにはもちろんですが、知り合いだけでなく、
住んでいる建物のエレベーターや廊下で誰かに出会った時や、買い物
で入ったお店の店員さんやスーパーのレジの人にもちゃんと挨拶しま
す。気合いのはいった「いらっしゃいませー！」を聞き流して勝手に品
物をみる日本風は、フランスではタブー。Bonjour と、こちらから一
言声をかけてお店に入り、何も買わなくても出るときには「ありがと
う、さようなら」Merci, au revoir と言って出てきましょう。日本人は
つい挨拶を忘れて用件に入りがちですが、まずは Bonjour ！のやり取
りでひと呼吸おいてから、用件に入るのがフランス風。この Bonjour
の一言で、お店の人の態度もぐっと「感じよく」sympathique なるこ
ともありますから、捨てたもんじゃありません。
　日が沈む、夕方からは「こんばんは」Bonsoir（bon ＝ よい soir ＝ 夕
べ）に変わります。

EXERCICES | *scènes 1-2*

CD 05

Exercices d'oral　キーフレーズを何度も発音して覚えよう！

(1) 矢印の後は、音節 * を意識したキーフレーズです。発音されない字（あるいはほとんど聞こえない字）は小さくなっていますので、音節の切れ目（・）に注意して文を発音してみましょう。

　　　　　　　　　　　　　　　　　　*ページ後半の「ちょっと発音」を参照

　　Enchanté, madame.　− Enchantée, monsieur.

　→ en・chan・té / ma・dam_e.
　　− en・chan・té_e / mon・sieur.**

　　　　　　　　**下線部は例外的に「モン」ではなく「ム」と発音するよ

　　Bonjour, ça va ?　− Oui, ça va bien. Merci.

　→ bon・jour / ça・va ?
　　− oui / ça・va・bien / mer・ci.

(2) さあ、つぎはキーフレーズを CD と同時に発音（シャドーイング）できるようになるまで練習してみましょう。

Un peu de prononciation　ちょっと発音 ●音節とは…

　音節とは一気に発音する音のまとまりで、母音をひとつ含んでいます。たとえば、enchanté は 3 音節で、en［ã］と chan［ʃã］の間と、chan と té［te］の間に音節の切れ目が入っています。ですから、日本語のように「あ・ん・しゃ・ん・て」と 6 つの音として発音するのではなく、「アン・シャン・テ」という 3 つのかたまりとして発音します。

　ちなみにフランス語のアクセントはとても簡単で、最後の音節に来ます。最後の母音（「アン・シャン・テ」の場合は「テ」）を気持ち長くする感じで強目に発音します。

(Exercices d'écrit) 次の質問に答えましょう。

(1) それぞれのあいさつにふさわしい返事を選んで、線で結びましょう。

a. Salut !   •   • Au revoir. A bientôt.

b. Comment allez-vous ? •   • Oui, oui, ça va. Et toi ?

c. Au revoir.   •   • Merci, à vous aussi !

d. Bonne soirée !   •   • Très bien, merci. Et vous ?

e. Ça va ?   •   • Salut !

(2) 登場人物のあいさつや自己紹介にならって、彼らへの返答を書いてみましょう。解答を確認したら (p.208)、実際に発音してみましょう。それぞれの口調に気をつけて。

a. Salut ! Moi, c'est Luc. Et toi ?

   → _____

b. Bonjour, je m'appelle Yoshio. Enchanté.

   → _____

c. Ah, salut ! Ça va ?

   → _____

d. Bonsoir ! Comment allez-vous ?

   → _____

Scène 3

Tu es pâtissier ?

きみは「お菓子職人」？

Un peu de grammaire　ちょっと文法

🐾 主語人称代名詞2　「彼」と「彼女」、「彼ら」と「彼女ら」

彼は、それは	イル il	彼女は、それは	エル elle
彼らは、それらは	イル il**s**	彼女らは、それらは	エル elle**s**

　三人称il(s)とelle(s)は、人だけでなく動物や物も受けることが出来ます。複数形は単数形ilとelleの後にsをつければ出来上がり。複数のsは発音しません。

🐾 不規則動詞 être（英 be 動詞）〜です、〜いる

・être の活用（直説法現在＝現在形）　　★まずは p.33 の活用を聴いて確かめよう。

　フランス語の動詞は、主語にあわせて語尾の形が変化していきます。これを動詞の活用と言います。ほとんどの動詞は語尾が変わるだけ。でも、不規則動詞 être は全体の形が大きく変わってしまいます。よく使う活用形を音から整理してみましょう。

スュイ suis	エ es / est	エットゥ êtes
ジュ スュイ je suis	テュ エ　イ レ　エ　レ tu es / il est* / elle est*	ヴ　ゼットゥ vous êtes*

★ il と elle につく動詞は同じ活用をします。また il, elle, vous の後に être がくると、音をつなげて発音するので読み方に注意！
　　　　　　　　　　　　　　　　→ scène 7 La clef 🐾 リエゾンとアンシェヌマン

・être を使った基本的な文章

1.　〜です（身分、職業、国籍など）

> 主語＋ être ＋主語の性質や様態を表す名詞や形容詞

　　↓　　　↓　　　↓
　Je　suis　pâtissier.　　　　　私は菓子職人です。（je = pâtissier）

2.　〜にいます（主語がいる場所）

> 主語＋ être ＋場所の前置詞＋場所

　　↓　　↓　　↓　　　　　↓
　Je　suis　à　　　　Osaka.　　　私は大阪にいます。

La clef 🐾 ポイント　●身分、職業、国籍の前の冠詞

　être の後につづいて身分や職業、国籍をあらわす名詞は、通常、冠詞なしで用います。
　　　メール　ドゥ　ファミーユ
　Je suis mère de famille.　　私は主婦です。

25

▚ Parlons en français ▚

ディアローグの日本語を今度はフランス語で言ってみよう！　　　CD 06

リュック、きみは
パティシエなの？

ジュ スュイ
Oui, je suis
pâtissier.

コム　　モワ
Comme moi* !

* moi は「私」を意味する代名詞のひとつ（→ scène 14 強勢形）で、
ここでは comme「～のように」と一緒に用いて、「私と同じように」という意味。

☁ **On peut dire aussi...**　● こんなことも言えますね…

Je suis mère de famille*.　私は主婦（家庭の母）です。　　　CD 07
エ　トワ
Et toi ?　きみは？　　　Et vous ?　あなたは？

*「主婦」をあらわすのに ファム オ フォワイエ femme au foyer という表現もあります。ただフランス人は一般
に専業主婦であることを言いたがりません…

❀ **Pratique !**　● 職業、国籍を表す言葉

エテュディアン　　　　　　エテュディアントゥ
大学生（男性形／女性形）étudiant / étudiante

アンプロワイエ　　　　　　アンプロワイエ
会社員、従業員（男性形／女性形）employé / employée

るトれッテ　　　　　　るトれッテ
年金生活者（男性形／女性形）retraité / retraitée

ジャポネ　　　　　ジャポネーズ
日本人（男性形／女性形）Japonais* / Japonaise

フらンセ　　　　　フらンセーズ
フランス人（男性形／女性形）Français* / Française

* Japonais(e) や Français(e) のような国籍をあらわす名詞は形容詞として使うときは語頭
も小文字にします。

26

3

フランスのデザート

　日本ではなぜかスイーツといえば女子と相場が決まっていて、そういうお店もやけに女子っぽいので、甘い物好き男子はなかなか苦労しているように見えますが、フランスでは老若男女、誰もがデザートを頬張ります。ダンディにバッチリ決めたムシューが、とっても甘そうなチョコレート・ケーキを食べていたり、かなりのおばあちゃんが若者も顔負けの大きなタルト・タタン（リンゴのタルト）を、アイスと一緒に平らげていたりといった具合。食事の基本が「前菜、メイン、デザート」という3部構成からなるフランスでは、デザートは重要な食事の一部。レストランのセット・メニュー（le menu<ruby>ル<rt></rt></ruby>と言います）でも、デザートは前菜、メインとともに必ず選択肢に入っています。それに対して食後のコーヒーや紅茶のような飲み物はセットの中には含まれず、別注文になることが多いです。

　家庭の食事でも最後にチーズやデザートをいただきます。漬け物にご飯はかかせないように、フランス人にとってチーズは必ずパンと一緒に食べるもの。第二次世界大戦の英雄ド・ゴール将軍の時代からさらに進化して、ありとあらゆるチーズが約1200種類もあるチーズ大国フランス。家庭でも何種類も買いそろえてあって、そこから数種類を切り取っていただきます。

「365種類ものチーズを生産している国が戦争に負けることはない」
シャルル・ド・ゴール

Magnifique bonsaï ?
マニフィック　ボンザイ

··· すばらしい盆栽？

ミホがリュックに家の中を紹介しています。

チアン　イスィ
Tiens, ici
セ
c'est
ル　ジャるダン
le jardin.

・・・

わお、
みごとな
ボンザイ！

Un peu de grammaire　ちょっと文法

😼 フランス語の名詞

　フランス語の名詞はすべて男性名詞と女性名詞にわかれます。名詞が指すものに自然の性別がある場合は、それに応じて区分されます。たとえば父 père〈ベール〉は男性名詞、娘 fille〈フィーユ〉は女性名詞。職業名詞や国籍は、その人の性別によって男性形か女性形にわかれます。ですから、リュックは pâtissier、ミホは pâtissière〈パチスィエール〉です。

　もともと性別を持たない事物、事柄もやはり、男性名詞と女性名詞にすべてわかれます。たとえば、庭 jardin〈ジャルダン〉は男性名詞で、台所 cuisine〈キュイズィーヌ〉は女性名詞。だからと言ってフランス人が「庭」はとても男らしいもので、「台所」は女の領域だと思っているのではありません。これはむしろ言葉の形の問題なのです。

😼 定冠詞 （英 the）　その〜

　名詞の前につけて、その性質を表すのが冠詞。3種類ある冠詞の一つ、定冠詞は、特定できるものや、ある名詞の一般的な概念を示しているときに使います。固有名詞も特定できるので定冠詞です。英語の the と大きく違う点は、フランス語の冠詞は名詞の性数に応じて3つの形があることでしょう。

単数		複数
男性名詞	女性名詞	男性・女性名詞
le (l')★〈ル〉	la(l')★〈ラ〉	les〈レ〉

★ 後ろに母音ではじまる言葉が来ると、le と la の母音が落ちて、どちらも l' となります。発音はうしろにくる母音次第。　　　　　　　　　　　　　　　→ scène 5 エリズィオン

　世界にひとつしかない「エッフェル塔」は **la** tour Eiffel〈トゥールエッフェル〉。Scène 4の会話では、「吉田家の庭」と状況から特定されるので定冠詞がついています。

La clef 😺 ポイント　●男性名詞？ 女性名詞？

　名詞の性別を覚えるのはひと苦労。語尾が « e » で終わる名詞は「e 女」の法則で女性名詞が多いですが、これには例外もたくさんあります。結局、出てきた名詞をいつも冠詞と一緒に覚えるクセをつけてしまうのが一番です。

▓ Parlons en français ▓

ディアローグの日本語を今度はフランス語で言ってみよう！　　CD 08

ほら、
ここが庭よ。

Wao !
アン　　　　　マニフィック
Un* magnifique
ボンザイ
bonsaï !

* un → scène 7 不定冠詞

☁ **On peut dire aussi...** ●こんなことも言えますね…　　CD 09

シャンブる　　　　ドゥ
Ici, c'est la chambre de Satoshi.　ここはサトシの部屋
ヴォワラ
Voilà* la tour Eiffel.　ほらエッフェル塔ですよ。

* voilà ＋名詞：提示表現。相手に物を差し出したり、見えなかったものがどこかから出てき
たときに、「ほら」という感じに使います。

❀ **Pratique !** ●家に関する言葉

　　　　　　　　メゾン
家、一戸建て la maison　　寝室（ホテルの部屋もこれ）la chambre
　　　セジューる
居間 le séjour　　風呂場 la salle de bain
　　　　　　　　　　　　　　　トワレットゥ　　　　　　　ラヴァボ
台所 la cuisine　　トイレ les toilettes*　　洗面所 le lavabo

*「トイレ」（女性名詞）はいつも複数で使います。単数だと「身だしなみ」の意味に。

30

4

盆栽（bonsaï）と禅（zen）の精神

Le kimono や le judo、le tatami などと同じように、フランスですっかり定着した日本語のなかに zen「禅」があります。禅の精神から「感情的にならずに平静でいること」「物事に動じない」ことを指したり、「簡素でシンプルな趣味」を意味したり、日本よりずっと広い意味で、日常的に使われています。たとえば、バカンスで道路が大渋滞、イライラしはじめた人に対して « Mais restons zen »「まあまあ、禅でいようよ（＝イライラせずに落ち着いていようよ）」という具合に使ったりします。

　盆栽 le bonsaï（フランス人はしばしば「bonsaïボンザイ」と「さ」の音を濁らせて発音します）も、日本的な精神を要約しているものとして、フランスで人気があります。1975年頃にはこのbonsaïという言葉はフランスで普及していたといいますから、なかなかのロングセラーです。ただ、盆栽をうまく育てるのが難しいのは日本人もフランス人も同じ。それに、実際に盆栽がどのようなものか知っている人はそこまで多くないようです。リュックも庭のきれいに刈られた木を、うっかり盆栽と間違えていますね。

voilà!

EXERCICES │ *scènes 3-4*

（Exercices d'oral）キーフレーズを何度も発音して覚えよう！ （CD 10）

(1) 矢印の後は、音節を意識したキーフレーズです。発音されない字は小さくなっていますので、音節の切れ目（・）に注意して文を発音してみましょう。

Luc, tu es pâtissier ? — Oui, je suis pâtissier.

→ Luc / tu・e_s・pâ・ti・ssie_r ?
— oui / je・sui_s・pâ・ti・ssie_r.

Ici, c'est le jardin.

→ i・ci / c'e_{st}・le・jar・din.

(2) さあ、つぎはキーフレーズを CD と同時に発音（シャドーイング）できるようになるまで練習してみましょう。

Un peu de prononciation ちょっと発音 ● 母音字と語末の子音字

　フランス語の母音字の発音は、基本的にローマ字読みでいいと思ってください。« a » は「ア」（**Ja**pon ジャポン）、« i »（« y » も同じ）は「イ」（**ici** イスィ）、« o » は「オ」（ch**o**colat ショコラ）。ただし、« u » は日本語の「ユ」（詳しくはp.92）に近い音です。一番厄介なのが « e »。ここではひとまず、アクサンがついていない時は「ウ」、アクサンがついていたら「エ」と覚えておきましょう（詳しくはp.192）。

　次に子音字。最初に頭に入れたい原則が、「語末の子音字と « h » は読まない」です。「チョコレート」はフランス語では「ショコラ」chocola**t**、「ホテル」は「オテル」**h**ôtel。このように下線部の子音字は書かれていても読む時は無視！ ただし、« c »、« r »、« f »、あるいは « l » で終わる単語は読む場合が多いです（bonjour「ボンジューる」）。英語の「注意深く**c**ar**ef**u**l** 」に出てくる子音字には、なるほどフランス語でも注意が必要です。

32

Exercices d'écrit 次の質問に答えましょう。

(1) 日本語訳を参考に、ふさわしい主語人称代名詞を囲いの中から選んで、空欄に入れてみましょう。

a. (　　　　　) suis japonais.　私は日本人です。

b. (　　　　　) est mère de famille.　彼女は家庭の母（主婦）です。

c. (　　　　　) es employé de banque ?　きみは銀行員？
　　　　　　　　　　　　　　ボンク

d. (　　　　　) êtes française ?　あなたはフランス人ですか？

> je, tu, il, elle, nous, vous, ils, elles

(2) 日本語訳を見ながら、動詞 être の正しい活用形を選んでみましょう。

a. Moi, c'(　　　　　) Satoshi. Je (　　　　　) lycéen.
　　　　　　　　　　　　　　　　　　　リセアン

ぼくはサトシ。高校生です。

b. Vous (　　　　　) japonaise ?

あなた（女）は日本人ですか？

c. Tu (　　　　　) fonctionnaire ?
　　　　　　　　　フォンクシオネーる

きみは公務員なの？

d. Sakiko (　　　　　) à Umeda.

サキコは梅田にいます。

🦉ヒント：日本語で「サキコ」を代名詞に換えたら「彼女」だよね。

CD 93

être ～です、～いる	
ジュ スュイ je suis	ヌ ソム nous sommes
テュ エ tu es	ヴ ゼットゥ vous êtes
イ レ il est	イル ソン ils sont
エ レ elle est	エル ソン elles sont

(3) 次の名詞の性数に気をつけて、定冠詞をつけて発音してみましょう。

a. 台所、料理（女性名詞）→ (　　　　　) cuisine

b. 庭 （男性名詞）→ (　　　　　) jardin

c. 家（女性名詞）→ (　　　　　) maison

d. トイレ（女性名詞、複数）→ (　　　　　) toilettes

e. ホテル（男性名詞、母音）→ (　　　　　) hôtel

Ah~, c'est agréable...

あー、気持ちいい…

Un peu de grammaire　ちょっと文法

😺 c'est ～（英 It's ～）それは～です

　とても便利な表現 c'est は後ろに名詞や形容詞の他、さまざまな要素を組み合わせることが出来ます。後ろに複数名詞が来るときには、ce sont（スソン）となります。ただし、話し言葉では、もっぱら c'est を使う傾向にあります。

😺 否定文

　フランス語の否定文の基本は動詞を ne と pas で挟みます。

> 否定文＝ ne 動詞 pas

Je ne suis pas pâtissier.（ジュ ヌ スュイ パ） 私はパティシエではありません。

😺 エリズィオン

　「熱すぎない？」Ce n'est pas trop chaud ?（スネバトロショ）という否定疑問文、どうして Ce ne est pas trop chaud（スヌエバ）ではないのでしょうか。

　否定 ne の後に、母音で始まる動詞 est がくると母音が続いて発音しにくいため、ne の e を省略してしまうのです。代わりに「 ' 」（アポストロフ）をおいて n'est と書き、読むときは一気に「ネ」と発音します。これをエリズィオンといい、フランス語の発音の重要な特徴になっています。実は C'est も、ce がエリズィオンしているんです。

　次の11個の単語の後に母音ではじまる言葉が続くと、エリズィオンが起こります。

> je, me, te, se, le, ce, de, ne ＋ la, si, que
> （ジュ ム トゥ ス ル ス ドゥ ヌ　ラ スィ ク）

　×　le hôtel → ○ l'hôtel（ロテル）　　　×　ce est → ○ c'est（セ）

　最後の3つを除いて、すべて2文字でその最後がeで終わる、よく使われる言葉でこの省略がおこります。最後の3つの例外は「フランス語 ら la・し（スィ）si・く que、エリズィオン！」と覚えましょう。

La clef 😺 ポイント　●話し言葉での ne の省略

　話し言葉では否定文の ne はしばしば省略されます。

Ce n'est pas trop chaud ? → C'est pas trop chaud ?（話し言葉）

░░ Parlons en français ░░

ディアローグの日本語を今度はフランス語で言ってみよう！　[CD 11]

サ ヴァ セ
Ça va, c'est
パッフェ
parfait !

サ ヴァ
Ça va ?
ス ネ パ
Ce n'est pas
トろ ショ
trop chaud ?

あー、気持ちいい…

☁ On peut dire aussi... ● こんなことも言えますね…　[CD 12]

セ タン ブー
C'est un peu* chaud.　　少し熱いです。

ユヌ　セルヴィエットゥ　スィルトゥ　ブレ
Une** serviette, s'il te plaît.*** − Voilà.　　タオルをお願い。− はい。

* アン ブー
　un peu：少し → scène 6　Pratique　　** une → scène 7　不定冠詞

*** s'il te plaît（英 please）：「お願いします」。tu で話す相手（親しい人）に対して使います。
→ p.49、s'il vous plaît

❀ Pratique !　● 便利な形容詞

c'est と組み合わせて、練習してみましょう。多くの形容詞は、否定の pas と一緒に
使えば、反対の意味にも使えるので、一石二鳥です！

サンパチック
sympathique　感じがいい：C'est sympathique. ⇔ C'est pas sympathique.
　　　　　　　　　　　　　　　　　　　　　　　　セ　　　　　　　　　　　セ パ

ジョンチ
gentil　親切だ、やさしい：C'est gentil. ⇔ C'est pas gentil.

シェーる
cher　（金額が）高い：C'est cher. ⇔ C'est pas cher

🐱 sympathique は省略した sympa という形でよく使われるよ。また、フランス語には「安
　い」という形容詞はないので、「安い」と言うときには、「高い」を否定した pas cher
　を使うよ。

5

フランス人とお風呂

　一日一回、寝る前にその日の汚れを落とすと同時に、肩まで浸かって身体を芯から温め、疲れをとるのが日本のお風呂のいいところ。ですから、日本の浴槽は、たとえ脚が伸ばせなくても、肩まではちゃんと浸かれる深さを備えていますね。フランスのお風呂は、洗い場がないだけでなく、浴槽（une baignoire）も浅めなのが一般的。一度入れたお風呂に次の人が入ることはないので、当然ながらお風呂のふたも、「追い炊き」機能もありません。シャワーカーテンさえないところも多いです（水が洗面所やトイレの方まで飛び散ってしまうと思うのですがねえ…）。

　また彼らのお風呂の入り方は、日本人ほど一般化できません。日常的には10分足らずのシャワーで済ませる人が圧倒的で、湯船につかるお風呂に週一回入る人はせいぜい5人に1人。中には一日に2回、朝晩シャワーという清潔好きの人もいますが、同じぐらい身体を毎日洗うことにこだわらない人もいるのがフランス。朝、出かける前にシャワーを浴びる時もあれば、仕事が終わった後にさっとシャワーを浴びて夜遊びに繰り出す時もあり、と必ずしも規則的に同じ時間帯にシャワーを浴びるとは限りません。まあ、ある意味、とても自由です。シャンプーは毎日するとむしろ髪を痛めると考えられているので、毎日洗う人はごく少数派です。ましてや髪型を維持するためだけの朝シャンなんて…！ きっとフランス人には驚きでしょう。

Il est comment, ton père ?

··· お父さんはどんな人？

Un peu de grammaire　ちょっと文法

😼 所有形容詞（英 my, your, his, her, etc.）

　名詞の前につけて、その所有者を表す形容詞です。フランス語の形容詞はそれがかかる名詞（つまり所有しているもの）の性・数によって変化します。まずは所有者が単数の時をマスターしましょう。

→ 巻末 p.194 所有形容詞一覧

所有権	男性単数名詞	女性単数名詞	男女複数名詞
私の	モン mon	マ ma	メ mes
きみの	トン ton	タ ta	テ tes
彼、彼女の	ソン son	サ sa	セ ses
あなたの	ヴォートる votre		ヴォ vos

　目まいがしているあなた、リズムよく手拍子も合わせて（？）、「モン、マ、メ！トン、タ、テ！ソン、サ、セ！」と、口で覚えていきましょう。以下のように性別がはっきりしている名詞を合わせて覚えるのもコツです。

モン　フィス
mon fils
私の息子

マ　フィーユ
ma fille
私の娘

メ　ザン　ファン
mes enfants
私の子どもたち

トン　ぺーる
ton père
きみの父さん

タ　メーる
ta mère
きみの母さん

テ　パほン
tes parents
きみの両親

ヴォートる　フィス
votre fils
あなたの息子

ヴォートる　フィーユ
votre fille
あなたの娘

ヴォ　ザン　ファン
vos enfants
あなたの子どもたち

La clef 😺 ポイント　● 母音で始まる女性名詞単数の前の所有形容詞

　所有形容詞でも母音には要注意！母音で始まる女性単数名詞に所有形容詞 (ma, ta, sa) をつけると母音と母音が衝突するので、それを避けるため男性単数名詞につける所有形容詞 (mon, ton, son) が代用されます。

モ・ネ・コル

une école 学校 → ✕ **ma école** → **mon école** 私の学校

あいた、母音が衝突！

おー、こっちは発音しやすいね！

39

▪ Parlons en français ▪

ディアローグの日本語を今度はフランス語で言ってみよう！　(CD 13)

君のお父さん、どんな人？

Têtu...

Mon père, il est
イ　レ
un peu têtu, mais
アン　ブー　テテュ　メ
très gai !
トれ　ゲ

Ah, le★
ル
voilà.
ヴォワラ

★ この le は定冠詞ではなく代名詞（→ scène32）で、ここでは「彼＝お父さん」を指しています。

☁ On peut dire aussi... ●こんなことも言えますね…　(CD 14)

Elle est comment, ta mère ?　きみのお母さんはどんな人？

Elle est très sympathique (gentille)★.　とても感じのいい（やさしい）人よ。
　　　　　サンパチック　　　　ジョンチーユ

★ gentille は gentil の女性形

✿ Pratique !　●程度、頻度の副詞（句）

beaucoup (英 much, many) たくさん　＋動詞 → **parler beaucoup** よくしゃべる
ボ　ク　　　　　　　　　　　　　　　　　　　　　　　　　　パふレ

un peu (英 a few, a little) すこし　＋動詞 → **manger un peu** すこし食べる
アン　ブー　　　　　　　　　　　　　　　　　　　　　　モンジェ

　　　　　　　　　　　　　　　　＋形容詞 → **un peu têtu** 少しガンコ

très★ (英 very) とても ＋形容詞 → **très gentil, très bon,** etc.
　　　　　　　　　　　　　　　　　　　　　　　　ボン

　　　　　　　　　　　　　　　　＋副詞 → **très bien** とてもよい **très souvent** しょっちゅう
　　　　　　　　　　　　　　　　　　　　　　　　　　　　　　　　スーヴォン

★ très は副詞ですが、動詞は修飾しません。

6

フランスでは親と同居はするの？

　リュックはしばらく一緒に暮らすことになるミホのご両親とうまく
いくかドキドキの様子ですね。パートナーの両親とうまくいくかどう
かハラハラしたり、気が合わずにイライラしたりというのは日本と同
じ。ただ、フランスでは日本のように子供が将来的に親と同居して老
後の面倒をみるという考え方は希薄です。むしろ子供は二十歳を過ぎ
たぐらいから親の家を出て、恋人と暮らすなり、独立するのが当たり
前。たしかに親と同居しているところに、夜、恋人を連れて帰ること
は（そして、当然そのままお泊まりも）フランスではタブーではありま
せんが、やはり親との同居は自立できていないと見做されるのかマイ
ナスイメージが強く、とくに男の子の方は女の子からの受けもよくな
いようです。ですから、フランスには「実家」という概念もなく、フラ
ンス語で「実家に帰る」というときは「親の家に帰る」とあらわすしか
ありません。
　可愛い我が子にうっかり「一生家に居てもいいわよ」と言ってしまっ
たがために、30歳近くなっても息子が家に居座りつづけるはめになり、
彼をなんとか追い出そうと、両親があの手この手を繰り広げるコメ
ディ映画『タンギー』（2001）なんてのもありましたが、近年は経済的
な事情から、独立したくても親元を出られない若者も多く、『タンギー』
のようにコミカルにはいかないのが実状のようです。
　ちなみに2019年4月には、この追い出したはずのタンギーが妻に捨
てられて、両親の家に出戻りする続編映画（《 Tanguy le retour 》日本
未公開）も公開されました。

EXERCICES │ *scènes 5-6*

Exercices d'oral　キーフレーズを何度も発音して覚えよう！　(CD 15)

(1) 矢印の後は、音節を意識したキーフレーズです。発音されない字は小さくなっていますので、音節の切れ目（・）に注意して文を発音してみましょう。

Ah, c'est agréable.

→ aₕ / c'esₛ · t a · gré · ablₑ.

Il est comment, ton père ?
— Mon père, il est un peu têtu, mais très gai.

→ i · l eₛₜ · co · mmenₜ / ton · pèrₑ ?
— mon · pèrₑ / i · l eₛₜ · un · peu · tê · tu /
　maiₛ · trèₛ · gai.

(2) さあ、つぎはキーフレーズを **CD** と同時に発音（シャドーイング）できるようになるまで練習してみましょう。

Un peu de prononciation　ちょっと発音 ●rの音

　parfait の « r » の音は少し喉の奥で響く程度で、ほとんど聞こえません。ほぼ「パッフェ」に聞こえるということです。うん？パッフェ、パフェ？？　そう、じつは日本のデザートでおなじみの「パフェ」はフランスから来ています（もっとも、フランスではあまりこのデザートにはお目にかかりませんが）。日本のパフェは、アイス、果物、生クリーム、プリンとすべてそろっていて完璧だから、「パフェ」なんでしょうね。
　« r »を発音するコツは舌の先端を、下の前歯の付け根に押当てておくこと。そのままの状態で喉の奥から息を吐くように「ら・り・る・れ・ろ」です。どうです？ なんだか、日本語の「は・ひ・ふ・へ・ほ」に近い音に聞こえますよね。この本で苦し紛れにひらがなで仮名をうっているところは、この「はひふへほ」に近い「らりるれろ」（あるいは、その逆）だと頭に入れておいてくださいね。

Exercices d'écrit　次の質問に答えましょう。

(1) イラストをみて、ふさわしい形容詞を C'est の後ろにいれて、簡単な感想をあらわしてみましょう。

a. 　　　b.

c. 　　　d.

agréable　気持ちいい、心地いい	gentil　親切な、やさしい
cher　（金額が）高い	bon　おいしい
froid　冷たい、寒い	chaud　熱い、暑い

(2) (1) で作った文を否定文にして、イラストにふさわしい表現になおしましょう。

a. 　　　b.

c. 　　　d.

(3) 日本語にあう所有形容詞を入れて、文を完成させてみましょう。

a.　Il est comment, (　　　　　) mari ?
　　あなたのご主人はどんな人ですか？

b.　Elle s'appelle comment, (　　　　　) fille ?
　　彼の娘さんはなんていう名前なの？

c.　Ce sont (　　　　　) enfants.
　　私の子供たちです。

Scène 7

D'abord, un verre !

.... まずは一杯！

ヨシオさんを前に、リュックは緊張気味。そこで、ミホは…

Un peu de grammaire ちょっと文法

😺 不定冠詞（英 a, an, some）ある〜、ひとつの〜、いくつかの〜

特定できるものや固有名詞につくのは定冠詞でしたね。ここに出てくる不定冠詞は特定できない（特定しない）数えられる名詞の前につき、「ひとつの」とか「いくつかの」という意味になります。

ここでも定冠詞と同じように、男性単数、女性単数、複数名詞と3つの使い分けがあります。

単数		複数
男性名詞	女性名詞	男・女名詞
アン un	ユヌ une	デ des

アン　ヴェ─る
un verre
グラスひとつ

ユヌ　ブテイユ
une bouteille
びん1本

デ　ヴェ─る
des verres
いくつかのグラス

デ　ブテイユ
des bouteilles
数本のびん

La clef 😺 ポイント ● リエゾンとアンシェヌマン

うしろに母音ではじまる言葉が続くと、読まない最後の子音字を発音したり（リエゾン）、ふたつの言葉をつなげて発音する（アンシェヌマン）ことがあります。とくに冠詞の後は必ずリエゾン・アンシェヌマンします。

un ami は「アン・アミ」ではなく「ア・ナ・ミ」　　　　　　　　（リエゾン）

une assiette は「ユヌ・アスィエットゥ」ではなく「ユ・ナ・スィエットゥ」
（アンシェヌマン）

des assiettes は「デ・アスィエットゥ」ではなく「デ・ザ・スィエットゥ」
（リエゾン）

数を言いたいときは、不定冠詞を数字に置き換えます。また数字も後ろに母音ではじまる名詞がくると必ずリエゾンするので、お忘れなく。　　　数字 → 巻末p.195

une assiette お皿1枚　**deux assiettes** お皿2枚 ドゥ・ザ・スィエットゥ

数字の後もリエゾン！

▓ Parlons en français ▓

ディアローグの日本語を今度はフランス語で言ってみよう！　　　　CD 16

Mais oui* !

Hé, Sakiko, des *édamamés* aussi !

Papa, de la** bière?

リュック、まず一杯どう？

* oui や non の前に mais「しかし、でも」を付けると意味を強める表現になります。

** da la → scène 8 部分冠詞

🌥 **On peut dire aussi...** ●こんなことも言えますね…　　　　CD 17

À table ! ご飯ですよ！（直訳は「テーブルにつきなさい」）

Bon appétit ! どうぞ召し上がれ

🌸 **Pratique !** ●食卓で使う言葉

des baguettes お箸

un couvert 一人前の食器類一式

un bol お椀、お椀型の器

▼ Le couvert

un couteau ナイフ

une fourchette フォーク

une cuillère

une cuiller* スプーン

* 「スプーン」にはふたつ綴りがあります。発音は同じです。

46

7

ビールは食事中、飲まないの？
― フランスでの食前・食後と食事中の飲み物

「とりあえずビール！」という言葉は、日本のお酒好きの間ではほぼ共有されている言葉ですが、フランスではどうなのでしょう？ビールは通常レストランでお願いする飲み物ではなく、カフェなどでよく飲むアルコールになります。つまり、食事をする前に食前酒 un apéritif として、あるいは食後にちょっともう一杯といったときに飲みます。フランス語で「生ビール」は une pression。日本より少し量は少な目ですがフランスでは un demi が、日本の「生中」のように、生ビールの定番サイズでしょう。Un demi は一杯、約25cl*。これで足りない人は une pinte（50 cl）を頼みましょう。

  ＊フランスでは単位 ml（ミリ・リットル）よりも cl（センチ・リットル）の方が使われます。

　食事中に飲むお酒は圧倒的にワインです。１本 une bouteille 頼むと多すぎるときには、「ピシェひとつ」un pichet と頼むといいでしょう。お店によりますが、分量は25 cl か50cl。後者ならふたりで2杯ずつぐらい飲める量になります。ミネラル・ウォーター l'eau minérale は、「炭酸入り」(eau) gazeuse か「炭酸なし」(eau) non-gazeuse /(eau) plate かを聞かれます。銘柄で頼むことが多く、炭酸なしでよくお目にかかるのはおなじみ「エヴィアン」Evian のほか「ヴィテル」Vittel など。炭酸水の定番は日本でも見かける「ペリエ」Perrier のほか、「バドワ」Badoit などもあります。日本では「炭酸入り」を敬遠する方もいますが、ヨーロッパの炭酸水はひと味違いますから、ぜひ試してみてください。消化にもいいそうですよ！

Scène 8

Ce soir, on fait du *sukiyaki* !

ス ソワーる オン フェ デュ

今夜はすき焼き！

Un peu de grammaire ちょっと文法

😺 Qu'est-ce que c'est ? それは何ですか？

目の前にあるものが何か尋ねるときに使います。答えは、疑問文の中にある c'est 〜「それは〜です」を使って答えます。

Qu'est-ce que c'est ? — C'est un *himono*, poisson séché.

それは何ですか？ — それは「干物」、干した魚です。

😺 部分冠詞　いくらかの〜

部分冠詞は液体や粉、全体の一部分など、数えられない名詞、つまり数ではなく量でとらえる名詞の前につけます。数えられる名詞につく不定冠詞を使う場合と比べてみましょう。

単数		複数
男性名詞	女性名詞	男性・女性名詞
un	une	des
du (de l')	de la (de l')	

un verre
グラスひとつ

une bouteille
びん１本

des verres
いくつかのグラス

du bœuf
いくらかの牛肉

de la bière
いくらかのビール

複数はなし

😺 母音で始まる数えられない名詞の場合、その性別に関わらず、de l' をつけます。

De l'eau, s'il vous plaît*.　水（eau 囡）、ください

Il a de l'argent.　彼はお金（argent 男）を持っている

* s'il vous plaît（英 please）：「お願いします」。vous で話す相手に対して使います。
→ p.36、s'il te plaît

La clef 😺 ポイント

部分冠詞で数える名詞は個数で数えないので複数の概念はなく、語尾に複数の s がつくことはありません。数えられない名詞は、容器が具体的な量を示すのに役立ちます。

一杯のグラスワイン **un verre de vin**　ご飯一膳 **un bol de riz**

２本のワイン **deux bouteilles de vin**

Parlons en français

ディアローグの日本語を今度はフランス語で言ってみよう！　(CD 18)

* Ah bon は便利なフランス語の相づち。「へえ」「あ、そう」。相づち上手は会話上手。驚いたように、普通に、素っ気なく、といろいろテンションを変えて練習してみましょう。

On peut dire aussi… ●こんなことも言えますね…　(CD 19)

Encore du riz ?　（さらにご飯は？→）ご飯、おかわりいかが？

Oui, je veux* bien. Merci !　はい、いただきます。ありがとう！

Non merci. De l'eau, s'il vous plaît.　いえ、結構です、水をお願いします。

* veux → scène 17 vouloir

Pratique ! ●味の表現1（おいしい、まずい）

C'est délicieux !　おいしい！ 美味！

C'est (très) bon.　（とても）おいしい

Ce n'est pas très bon.　あまりおいしくない

C'est dégueulasse♠♠　すごくまずい　ひどい

♠♠非常にくだけた表現

50

8

お鍋料理と薄切り肉のない国フランス

　「すき焼き」を訳せば「日本のフォンデュ」la fondue japonaise。フランスで食べる鍋料理といえば、おなじみ「チーズ・フォンデュ」や、お肉を熱々のオイルに入れていただく「オイル・フォンデュ」がありますが、じつはどちらもスイスの郷土料理。一人前ずつお皿に取り分けたものをいただくのがフランス料理の基本スタイルですから、お箸を上手に使いこなすフランス人でも、「みんなでひとつの鍋をつつく」鍋物スタイルにはなじみがありません。

　日本料理ブームで、大流行の「巻き寿司」makiだけでは飽き足らず、「すき焼き」に挑戦しようというフランス人もいるようですが、ここで問題なのが薄切り肉。すき焼きにしろ、もう一つのla fondue japonaiseであるしゃぶしゃぶにしろ、薄切り肉は必須ですね。しかし、フランスではそもそもこの薄切り肉がお店にありませんから、まずは肉を薄切りにするところからスタートしなくてはなりません。そして、実はこの肉の薄切りが、彼らに取っては一番の難関でしょう。美食で知られるフランスですが、庶民は素材の形にこだわりません。丸ごと調理して切り分けるか、適当な大きさになっていればそれで十分という人が圧倒的（家庭ではまともな包丁やまな板がないこともしばしば …）。ですから、彼らに日本料理の「細かく、薄く切る技」を披露するだけで、味以前に大きな感動を呼ぶことも …。そう、フランスでなら、あなたもキュウリの酢の物やキャベツの千切りで、包丁さばきの達人となるのも夢ではないのです！

EXERCICES | scènes 7-8

Exercices d'oral　キーフレーズを何度も発音して覚えよう！　CD 20

(1) 矢印の後は、音節を意識したキーフレーズです。発音されない字は小さくなっていますので、音節の切れ目（・）に注意して文を発音してみましょう。

D'abord, un verre ?

→ d'a・bor_d / un・verr_e ?

Qu'est-ce que c'est ? − C'est du bœuf.

→ qu'e_st c_e・que・c'e_st ?
− c'e_st・du・bœuf.

(2) さあ、つぎはキーフレーズを CD と同時に発音（シャドーイング）できるようになるまで練習してみましょう。

Un peu de prononciation　ちょっと発音 ●ゆるい「ウ」œu / eu

Bœuf の « œu »「ウ」[œ] の音は、日本語の「う」よりも口を大きく開けて発音するゆるい音です。まず日本語の「お」の時の口で、そのまま力み過ぎずに「エ」と発音してみましょう。

じつは、ゆるい「ウ」の音は、もうひとつあります。発音記号は [ø] になります。先のウよりも口をもう少し閉じ気味にして、同じように力まずに「エ」と発音する感じです。

日本人にはとても出しにくい音です。ふたつの使い分けにはこだわらず、とりあえず、口をゆるーく開けて「ウ」を言ってみる練習からはじめましょう。

🐱 この音に関しては、「複母音字」の項目も参照してね（p. 72）

(1) 次の名詞の性別を確認して、（ ）に不定冠詞を入れてみましょう。

    a. びん （   ) bouteille   **b.** 息子 （   ) fils

    c. 猫 （   ) chat   **d.** 娘 （   ) fille

    e. お皿 （   ) assiette

(2) 次の名詞を不定冠詞もあわせて複数形にして書いてみましょう。

    a. びん （   ) bouteille＿   **b.** 息子 （   ) fils＿

    c. 猫 （   ) chat＿   **d.** 娘 （   ) fille＿

    e. お皿 （   ) assiette＿

(3) 次の名詞の性別を確認して、（ ）に部分冠詞を入れてみましょう。

    a. コーヒー （   ) café   **b.** ご飯（米）（   ) riz

    c. ワイン （   ) vin   **d.** ビール （   ) bière

    e. お金 （   ) argent

(4) 例にならってイラストにある a 〜 c の問いに、C'est 〜（Ce sont 〜）で答えてみましょう。

例 Qu'est-ce que c'est ?　 − C'est un bonsaï.

a. Qu'est-ce que c'est ?

b. Qu'est-ce que c'est ?

c. Qu'est-ce que c'est ?

J'ai un petit cadeau pour vous.

································ おみやげがあります

ジェ　アン　プチ
J'ai un petit*
キャドー
cadeau
プーる　　　ヴ
pour vous.

まあ、ご親切に
どうも
ありがとう！

クッキーだ！
チョコレート
もある！！

* この petit は、「小さい」の意味ではなく、日本語で言う「ちょっとした」とか「つまらな
いものですが」のニュアンスです。

Un peu de grammaire ちょっと文法

🐾 不規則動詞 avoir（英 have）持つ、所有する
アヴォワ～る

動詞 être と並んで重要なのが、英語 have にあたる動詞 avoir です。使用範囲が広く（→ scène 10）、様々な慣用表現（→ scène 31）もあります。

・avoir の活用（現在形） être と同じく不規則動詞で、全体が大きく変化します。これも、まずは音から整理してみましょう。母音で始まる avoir は読み方注意です！

エ ai	ア as / a	アヴェ avez
ジェ j'ai	テュア　イラ　エラ tu as / il a / elle a	ヴ　ザヴェ vous avez

まずは p.63 の活用を聴いて確かめよう。

・avoir を使った基本的な文章

> 主語＋ avoir ＋直接目的語（冠詞＋名詞）

   ↓   ↓   ↓

Luc   a   un cadeau.
        ア アン　キャドー

リュックはプレゼントがある。

🐾 Il y a ＋直接目的語（英 there is/are ～）～があります
イ リ ア

「～がある」という存在を表す avoir を用いた慣用表現です。否定文をつくる時は、y と a（動詞）をセットで、n' と pas で挟みます。

イ リ ア　ユヌ　ヴォワテューる　ドゥヴォン　ラ　メゾン
Il y a une voiture devant la maison. 家の前に車が1台あります。

イルニ ア バ ドゥ
Il n'y a pas de* voiture devant la maison. 家の前に車はありません。

* de → scène 10 否定文での冠詞

La clef 🐾 ポイント ● 母音で始まる動詞のエリズィオン

avoir だけでなく、母音で始まる動詞はすべて、主語 je と組合わさるとエリズィオンするので気をつけましょう。また否定文では、ne とエリズィオンします。

ジェ
J'ai une voiture. → **Je n'ai pas de* voiture.**
                       ジュ　ネ　バ　ドゥ

* de → scène 10 否定文での冠詞

55

Parlons en français

ディアローグの日本語を今度はフランス語で言ってみよう！ CD 21

たいしたものじゃありませんが、みなさんにおみやげです。

Oh, merci !
C'est très
gentil.

Des galettes !
Il y a aussi des
chocolats !

On peut dire aussi... ●こんなことも言えますね… CD 22

Ça a l'air* bon ! おいしそう！ 　 ＊ avoir l'air ＋形容詞：〜に見える

(C'est) Génial ! （それは）すばらしい！ （そりゃ）すごい！

Pratique ! ●お礼の言葉 — Merci を一歩進めよう！

・beaucoup をつけて　**Merci beaucoup !**　どうもありがとう！

・さらに gentil をつかってパワーアップ

　Merci, c'est très gentil !　ご親切に、どうもありがとう！

・お礼をいわれたら、こう返しましょう：

　De rien ! なんでもありませんよ！ **/ Je vous en prie.** どういたしまして。

56

9

フランス人が喜びそうな日本のおみやげは？

　昔から日本文化への関心が高いフランス。最近では漫画から入って、日本語を習う人も増え、パリでは「醤油」la sauce de soja（ラ ソース ドゥ ソジャ）はもちろん、「ゆず」le yuzu のような食材に出会うこともあり、日本文化の浸透ぶりが伺えます。

　では、フランス人に「ほんものの日本」をおみやげ（フランス語では「プレゼント」cadeau を使います）にしたらウケるだろうと思いきや、なかなかそうでもありません。例えば、和菓子。あんこの甘みは必ずしも西洋人の舌に合うとは言えず、反応は微妙。また日本の生活では必須のハンカチや小さなタオル。簡単なプレゼントとしても重宝しそうですが、手の温風乾燥機が発達しているフランスでは使う機会はまずありません。夏も湿度が低いので、さほど汗をかきません。あちらではハンカチはまず「鼻をかむもの」である点も頭に入れておきましょう。

　では手頃なおみやげで喜ばれるのは？　結局、日本の伝統的なデザインの生地や和紙、日本語がプリントされた生地をつかった物（小銭入れ、巾着、スカーフ、のれん、ペン、キーホルダー、手提げ、Tシャツなど）が無難なようです。また、きれいな筒に入った緑茶も喜ばれそう。最近は日本の弁当文化もフランスに伝わっているので、かわいくて工夫満載の日本のお弁当箱はウケそうです。

J'ai une sœur.

⋯⋯⋯⋯⋯⋯⋯⋯⋯⋯⋯⋯⋯ 姉妹がひとりいます

Un peu de grammaire　ちょっと文法

🐾 avoir を使いこなそう

動詞 avoir を使えるのは「物」だけではありません。「生き物」にも、使えるんですねえ。

・子どもが二人います。　J'ai deux enfants.
　　　　　　　　　　　　　ドゥ　ザンファン

・フランスに友達はいるの？　Tu as des amis en France ?
　　　　　　　　　　　　　　　デ　ザミ　オン　フランス

・わたしたちは猫を飼っています。　Nous avons un chat.
　　　　　　　　　　　　　　　　　ヌ　ザヴォン　アン　シャ

・お店で「〜ありますか？」　Vous avez des croissants ?
　　　　　　　　　　　　　　　　　　　　　　　　　　コワッソン
　　クロワッサンありますか？

・年齢　Il a 32 (trente-deux) ans.　彼は 32 歳です。
　　　　　　　　トろンードゥ　　　　ザン

🐾 否定文の中の不定冠詞と部分冠詞

数量の概念を表す不定冠詞と部分冠詞は否定文の中では de という冠詞に変わります。

ジュ　ネ　バ　ドゥ　フれーる　　デ　フれーる　メ　ジェ　ユヌ　プチットゥ　スール
Je n'ai pas de frère (← des frères), mais j'ai une petite sœur.

兄弟はいませんが、妹がひとりいます。

イル　ニヤ　バ　ドゥ　レ　　デュ　レ
Il n'y a pas de lait. (← du lait)　牛乳はありません。

🐱 de の後ろに母音で始まる言葉が来たら、エリズィオンするよ。

ダンファン　　　　　デ　ザンファン
Je n'ai pas d'enfant. (← des enfants)

La clef 🐱 ポイント　●否定文中の冠詞 de を使わないとき

この « pas de » というのは、数量（存在）が「ゼロ」であることを意味します。で
すから、数量が問題ではない定冠詞は、否定文でも変わりません。また c'est 〜の文も、
事物の数量が問題ではないので、否定文でも変わりません。

ジェム
(1) J'aime les chats*. → Je n'aime pas les chats.
　　　　　　　　　　　　　　ジュ　ネム　バ
　　　　　　　　　　　　　　私は猫が好きではありません。

　　　　　　　　　　　　　　　　★ aime → scène 12　第一群規則動詞 aimer

セ　タン　　　　　　　　　ス　ネ　バ
(2) C'est un chat. → Ce n'est pas un chat.　それは猫ではありません。

59

Parlons en français

ディアローグの日本語を今度はフランス語で言ってみよう！　　CD 23

兄弟はいませんが、姉妹がひとりいます。

Ah oui, j'ai une photo
ジェ ユヌ
de ma famille. Voilà.
ドゥ マ ファミーユ ヴォワラ

Luc, tu as des
テュ ア デ
frères et sœurs ?
フれーる エ スーる

☁ **On peut dire aussi...** ●こんなことも言えますね…　　CD 24

Je suis fils unique / fille unique. ぼくは一人息子（一人娘）です。
フィスユニック　　　フィー　ユニック

Ta mère, elle a l'air très jeune ! 君のお母さん、すごく若く見えるわね！
エ ラ レール　　　　ジュンヌ

❀ **Pratique !** ●家族をさす言葉２

夫 le mari 　　　妻 la femme 　　　息子 le fils 　　　娘 la fille
　　マり

義理の父 le beau-père 　　　義理の母 la belle-mère
　　　　ボ　ぺーる　　　　　　　　　　　ベル　メーる

既婚者の圏 男性 marié / 女性 mariée 　　　独身者の圏（男女とも）célibataire
　　　　　　　マりエ　　　　　マりエ　　　　　　　　　　　　　　　　セリバテーる

🐱 フランス人の家族の見方は、日本人とずいぶん違うよ。ぜひ次のコラムにも目を通してみてね。

10

フランスの家族

2017年5月にフランス共和国大統領の任期を終えたフランソワ・オランド氏は、同じ社会党のセゴレーヌ・ロワイヤル氏と約30年生活をともにしたのち、就任時には政治記者のヴァレリー・トゥリエルヴェレールさんと大統領官邸で暮らしはじめました（その彼女とも、自分の浮気が原因で破局しましたが）。どちらの女性とも、結婚 le mariage（マリアージュ）ではなく、法的にしばられることのない「自由な結びつき」（union libre）（ユニオン リーブる）。日本でいう「事実婚」です。

　こうした関係が増えると、出生率が下がるのでは？とお考えの方。いえいえ、嫡出子、非嫡出子の区別がないフランスでは、事実婚カップルも子どもを作ります。実際オランド氏もロワイヤル氏と4人の子どもをもうけました。

　それにいくら子どもがいても、夫婦間で愛情がなくなれば離婚することもためらいません。たとえば、2017年に共和国史上もっとも若い大統領に選ばれたエマニュエル・マクロン氏は、15歳の時に出会った国語教師ブリジットさんと恋に落ちます。当時、彼女は39歳。すでに結婚して3人の子どもの母でした。しかし、マクロン氏の情熱に負けたブリジットさんは離婚して、マクロン氏のもとに。10年ほどの付き合いを経て、2007年、二人はブリジットさんのお子さんたちにも祝福されて結婚しました。大統領になった時、39歳のマクロン氏にはすでに7人のお孫さんがいました。

　互いに前のカップルとの間に出来た子どもを連れて、新たな家庭を築き上げるのは、もちろん容易なことではありません。こうした家族を「再構成家族」famille recomposée（ファミーユ るコンポゼ）といい、社会問題にもなりますが、フランスでは「子どものために離婚はよくない」という方向に議論が傾くことはまずありません。「血のつながった家族が一番」という神話より、「愛のない結婚（カップル）はなく、また愛のない人生もない」という神話の方が、フランスではずっと、ずっと強いのです。

EXERCICES | *scènes 9-10*

　Exercices d'oral　キーフレーズを何度も発音して覚えよう！　　CD 25

(1)　矢印の後は、音節を意識したキーフレーズです。発音されない字は小さくなっていますので、音節の切れ目（·）に注意して文を発音してみましょう。

　　　J'ai un petit cadeau pour vous.　− Merci, c'est très gentil !

　　　→ j'ai · un · p(e) · ti_t · ca · deau · pour · vou_s.
　　　　− mer · ci / c'e_{st} · trè_s · gen · ti_l !

　　　Je n'ai pas de frère, mais j'ai une sœur.

　　　→ j_e · n'ai · pa_s · d_e · frèr_e / mai_s · j'ai · un_e · sœur.

(2)　さあ、つぎはキーフレーズを CD と同時に発音（シャドーイング）できるようになるまで練習してみましょう。

　Un peu de prononciation　ちょっと発音　●複母音字（その1）　ai と eau、au

　英語では母音字はひとつなのに「アイ」や「エイ」のように、母音を2つ続けて発音する場合がありますね。フランス語は逆で、原則、2つ（あるいは3つ）の母音字が続く時も、一音として発音します。これは複母音字というもので、フランス語の発音のとても重要な法則のひとつです。全部で6つの音がありますが、ここではまず2つの複母音字を押さえましょう。

　　(1)　«ai», «ei» [ɛ] は「エ」→　lait　牛乳
　　(2)　«au», «eau» [o] は「オ」→ cadeau　プレゼント
　　　　　　　　　　　　　　　café au lait　カフェ · オ · レ

ね、6文字の cadeau も、音にすればたったの2音になってしまいます。

62

Exercices d'écrit 次の質問に答えましょう。

(1) 日本語訳を見ながら、動詞 avoir の正しい活用形を選んでみましょう。

CD 93

a. Nous ( ) un chat.

私たちは猫を一匹、飼っています。

b. Vous ( ) des frères et sœurs ?

ご兄弟姉妹はいらっしゃいますか？

c. Il y ( ) trois gâteaux dans le frigo.

冷蔵庫にケーキが 3 つあります。

d. Sakiko ( ) deux vélos.

サキコは自転車を 2 台、持っています。

avoir ～を持っている	
ジュ j'ai	ヌ ザ ヴォン nous avons
テュ ア tu as	ヴ ザヴェ vous avez
イ ラ il a	イル ゾン ils ont
エ ラ elle a	エル ゾン elles ont

(2) 次の場面にふさわしい文を選んで、線で結びましょう。

a. お店の人に欲しいものが
あるかどうか尋ねる •

b. 子どもに歳を尋ねる •

c. 冷蔵庫を覗いて •

d. 自分の家族について言う •

• Tu as quel âge ?

• Zut*, il n'y a pas de bière !
ズュットゥ

• J'ai deux enfants: un fils et
une fille.

• Bonjour, vous avez des
croissants ?

* zut♠ :しまった！

(3) 冠詞に気をつけて、次の文を否定文にしてみよう。

a. Vous avez un téléphone portable ? 携帯電話を持っていますか？
テレフォン ポルターブル

→

b. Il y a du thé dans le frigo. 冷蔵庫の中にお茶があります。
テ

→

c. J'aime les chiens. 私は犬が好きです。
シィアン

→

63

Scène 11 — Elles sont mignonnes !

彼女たちかわいいね！

食事も終わりにさしかかって、サトシがテレビをつけました。

フーム　エル　ソン
Hum, elles sont
ミニョンヌ
mignonnes !

ほら、
日本のアイドルの
子たちだよ

でしょ！
この子たちすごい
人気なんだよ。

Un peu de grammaire ちょっと文法

フランス語の形容詞

(1) **位置** 英語や日本語と違いフランス語の形容詞は原則として、後ろから名詞を修飾します。

興味深い映画 un film intéressant
フィルマ　ンテれッサン

感じのいい男の子 un garçon sympathique.
ギャるソン

ただし、よく使う短い形容詞は前から名詞を修飾します。

小さい鞄 un petit sac かっこいい男の子 un beau garçon.
サック ボ

詳しくは次のページの Pratique !

(2) **性数の一致** 形容詞のもうひとつの特徴は、修飾する名詞の性・数によって形容詞も性数変化することです。原則として、男性形に e をつけると女性形に（「e 女」でしたね）、s をつけると複数になります。女性形の複数には es をつけます。

C'est un livre intéressant.　Ce sont des livres intéressants.
セ タン リーヴる ス ソン

それ (ら) は興味深い本です。

C'est une idée intéressante.　Ce sont des idées intéressantes.
セ テュ ニデ アンテれッサントゥ デ ズィデ

それ (ら) は興味深いアイディアです。

最後が e で終わる形容詞は、女性形も変わりません。

→ un garçon sympathique　une fille sympathique.

　感じのいい男の子　　　　　　感じのいい女の子

最後が s, x, z で終わる形容詞は、複数形も変わりません。

→ un film japonais　des films japonais　日本映画

La clef ポイント

複数の s がついても、発音は変わりませんが、女性形の e がつくと、しばしば語尾の音が変わります。また複数形には s、女性形には e をつけるという原則には、例外も多くあります。例えば、ミニョン mignon「かわいい」の女性形はミニョンヌ mignonne と最後の子音 n を重ねて e をつけます。そう、形容詞はなかなか手強いのです！普段から名詞の性別に気をつけるクセをつけましょう。

65

Parlons en français

ディアローグの日本語を今度はフランス語で言ってみよう！　[CD 26]

うーん、彼女たち
かわいいねえ。

テュ ヴォワ
Tu vois* !
エル　ソン　トれ
Elles sont très
ポピュレーる
populaires.

チアン　ス　ソン
Tiens, ce sont
デ　スター　ジャポネーズ
des stars japonaises.

テュ ヴォワ　　ヴ　ヴォワイエ
* Tu vois / Vous voyez は「わかったでしょ」「ほらね」という慣用表現。

🗨 **On peut dire aussi...** ● こんなことも言えますね… 　[CD 27]

ドンス
Elle danse* bien.　彼女はダンスがうまいね。

Pas mal !　いいね。

　　　　　　　　　　　　* danser「ダンスする」→ scène 12 er 動詞

🌸 **Pratique !** ● 名詞の前におく形容詞

名詞の前におく、よく使う形容詞の代表的なものです。括弧の中は女性形。

ボンヌ
bon (bonne)　よい，おいしい　　beau (belle)　美しい　ベル

ジョリ　ジョリ
joli (jolie)　きれい　　petit (petite)　小さい　プチットゥ

グ゛ホン　グ゛ホンドゥ
grand (grande)　大きい　　jeune (jeune)　若い　ジュンヌ　ジュンヌ

🐱 とてもよく使う形容詞 beau は要注意。女性形になるとまったく形が変わっちゃうよ。

Il est beau !　彼はかっこいいわね。　　Elle est belle.　彼女は美人だね。

66

11

フランスでは、いつから大人？

　フランスでは、いつから子どもは大人の仲間入りをするのでしょう。18歳以上が成人 adulte で、選挙権も結婚も18歳から。タバコに関しては、数年前は高校の休み時間になると教師も生徒も一緒になってタバコを吸っている、なんて姿が当たり前でしたが、世界的な禁煙モードの流れにあわせ、2009年以降フランスでも18歳以下にタバコを売ることが禁止となりました。ただ、どう見ても20歳以上だとわかる人にまで一律に画面タッチを要求するような徹底的なやり方はフランス人にはまったく異質なので、結局のところ未成年がタバコを買うのはとても簡単だとか。確かに、タバコを吸ってる中・高校生は依然存在しているような…

　じゃあアルコールは？　2008年までは16歳以上ならワイン、ビール、シードルなど醸造酒を飲食店で飲んでも良かったのですが、これも2009年に法改正となり18歳以下にはすべてのアルコールの販売が禁じられるようになりました。そう、ごく最近まで、（監督者がついていなくてはならないにしても）ワインをちゃんとたしなめるようになるのが、フランスでの大人の条件だったんですね。しかし、徐々に世界の健康志向に合わせて考え方が変わってきているようです。なんだかさみしい気もしますが…

　若者が自宅パーティーで泥酔というのはフランスでもよくある話ですが、酔っぱらって電車で眠りこけている人というのは…うーん、やっぱりフランスにはいないですね。

Tu aimes le baseball ?

野球はお好き？

テレビではっとしたお父さん。
リュックというお客さんがいても、これだけは譲れない？

え、なんなの？

エ　ビアン
Eh bien, Luc,
テュ　エム
tu aimes
ル　ベズボル
le baseball*?
Héhéhé...

はいはい、
わかりましたよ！
変えますよ。

おい、サトシ！
試合やってるぞ！

＊ 英語からきた言葉 le baseball は、フランス語読みの「バズバル」ではなく、フレンチ・イングリッシュ
（franglais）で「ベズボル」と読みます。

Un peu de grammaire ちょっと文法

🐾 第一群規則動詞（er 動詞）

　動詞の原形（変化していない時の形）の語尾だけが主語にあわせて、規則的に変わっていくのが規則動詞。フランス語の動詞の 90％は、原形の語尾が「-er」で終わる第一群規則動詞だといわれます。たとえば、ディアローグに出てくる動詞 joue（ジュ）の原形は jouer（ジュエ）（プレイする）、動詞 aimes（エム）（が好きだ、を愛してる）の原形は aimer（エメ）。どちらも er で終わっていますよね。そのため、これらの動詞は er（ウーエる）動詞とも呼ばれています。

CD 93

jouer
遊ぶ、楽器やスポーツをプレイする

je joue	nous	jouons（ジュオン）
tu joues	vous	jouez
il joue	ils	jouent
elle joue	elles	jouent

　活用（現在形）：語尾 er の部分が、主語に応じて規則的に変化していきます。ずらりと6つ並んだ動詞の活用表を見て、フランス語を学ぶ気力がフーっと抜けていった方もいるのでは…

　でも、er 動詞の活用語尾は nous と vous の時以外は、発音はみんな同じなんです。つまり、音だけ見ればたったの3種類。まずは頻度の高い語尾が「ウ」で終わる単数人称「私」「きみ」「彼、彼女」と、原形と同じ音「エ」になる二人称「あなた（たち）」の時と、ふたつの活用パターンの音から覚えていきましょう。

joue / joues（ジュ）	jouez（ジュエ）
je joue / tu joues / il joue / elle joue	vous jouez

La clef 🐱 ポイント ● 気をつけたい母音ではじまる er 動詞

　aimer のように母音で始まる動詞は、je の後ではいつも je の e が落ちる、エリズィオンが起こります（p.35）。そろそろみなさんも、この現象に慣れてきた頃でしょうか？そんなときは、「je aime ジュ エム」と発音せずに、いつでも一気に「j'aime ジェム」と発音しましょう。

aimer の活用表 → p.73

▣ Parlons en français ▣

ディアローグの日本語を今度はフランス語で言ってみよう！ CD 28

Mais qu'est-ce
<ruby>メ<rt></rt></ruby><ruby>ケ<rt></rt></ruby><ruby>ス<rt></rt></ruby>
qu'il y a ?
キ リ ヤ

Hé, Satoshi !
On* joue
le match !

えーっと、
リュックは、野球は好き？
ハハハ・・・◊

Oui, oui, d'accord !
ダコーる
Je change.
ジュ ションジュ

---

* on：人一般を指す主語人称代名詞。ここのように漠然とした主語をさすのにも使います。活用は il や
オン

elle と同じ。詳しくは→ scène 19 La clef 🐱

☁ **On peut dire aussi...** ●こんなことも言えますね… CD 29

Je préfère le foot. サッカーの方が好きです。
ジュ プれフェーる ル フートゥ

Hé, change* de chaîne ! おい、チャンネル変えろ！
ションジュ ドゥ シェーヌ

* change → scène 13 命令形

❀ **Pratique !** ●「好き」「嫌い」の表現

ここでの bien はむしろ
意味を弱めます

好   J'aime beaucoup 大好き

↑   J'aime bien わりと好き

↓   Je n'aime pas beaucoup あんまり好きじゃない
ジュ ネム パ

嫌   Je n'aime pas du tout 全然好きじゃない
デュ トゥ

🐱 誰かに「愛してる」と言うときは、ストレートに « Je t'aime »。Bien や beaucoup がつけば、
ジュ テム

「お友達扱い」です。お間違いなく！

70

12

フランスが誇る世界的スポーツイベント

　フランスには世界的に有名なスポーツイベントがたくさんあります。スタッド・ローラン・ギャロス Stade Roland Garros での全仏オープン・テニスや自動車のル・マン24時間耐久レース 24 heures du Mans、自動車のツール・ド・フランス Tour de France などなど。でもやはり最も華やかなのは、競馬の世界最高峰のレース、凱旋門賞 Prix de l'Arc de Triomphe でしょう。

　10月第一日曜日にブーローニュの森にあるロンシャン競馬場 Hippodrome de Longchamp で行われる凱旋門賞は2019年で98回目（第二次大戦中に2回中断）を数え、賞金総額は500万€（約6億円）で世界第二位。

　凱旋門賞当日には多くの競馬ファンが押し寄せ、お祭りさながら。色とりどりの華やかなドレスを身にまとい、シャンパングラス片手に談笑するマダムたち、ワインや食事をバスケット一杯に詰めたピクニック気分の家族連れやムール貝とフリット（いわゆるジャガイモの「フレンチ・フライ」ですね）のセットをほおばりながらも競馬新聞から目が離せない競馬ファン。子供たちは馬よりも屋台のワッフルや綿菓子 barbe à papa（「パパのあごひげ」）に夢中。そんな風にそれぞれが思い思いの楽しみ方ができるのが凱旋門賞の魅力です。

　凱旋門賞のジンクスとしてヨーロッパ調教馬以外の馬は勝てないといわれています。数々の名馬を輩出したアメリカにもいまだ凱旋門賞を手にした馬はいません。日本馬も、最近では毎年のように挑戦していますが、2着が最高（99年エルコンドルパサー、10年ナカヤマフェスタ、12、13年オルフェーヴル）。いつの日か日本の馬が凱旋門賞を制し、ジンクスを打ち破る日は来るのでしょうか？

EXERCICES | scènes 11-12

Exercices d'oral キーフレーズを何度も発音して覚えよう！ (CD 30)

(1)　矢印の後は、音節を意識したキーフレーズです。発音されない字は小さくなっていますので、音節の切れ目（・）に注意して文を発音してみましょう。

Hum, elles sont mignonnes !

→ hum / ell~es~・son~t~・mi・gnonn~es~ !

Eh bien, Luc, tu aimes le baseball ?

→ e~h~・bien / Luc / tu・aim~es~・l~e~・bas~e~・ball ?

(2)　さあ、つぎはキーフレーズを **CD** と同時に発音（シャドーイング）できるようになるまで練習してみましょう。

Un peu de prononciation ちょっと発音 ● 複母音字（その2）ou と eu, œu

　ここでは新たに3つの複母音字を見ていきましょう。なんと「ウ」ばっかりです。とはいえ、(2)と(3)の音はすでに scènes 7-8 の「ちょっと発音」でやりましたね。ここでは(1)« ou » の複母音に注目しましょう。

(1) « ou »「するどいウ」[u] → **jouer** 遊ぶ、プレイする

(2) « œu », « eu » で「ゆるいウ」[ø] → **bleu** 青い、ブルー

(3) « œu », « eu » で「もっとゆるいウ」[œ] → **sœur** 姉妹

　« ou » を発音するときのポイントは唇を丸い形にして突き出すこと。その緊張させた丸い唇の空洞から力強く音を出すイメージで、「ウ！」。どうですか？ (2)と(3)の「ゆるーいウ」とは、まるで口の形が違いますね。

(Exercices d'écrit) 次の質問に答えましょう。

(1) 日本語にあう形容詞を囲いから探して、名詞にあわせて必要ならば変化させましょう。

a. Luc est assez (　　　　　　)　　リュックはかなり大きい
エ　　タッセ

b. Miho et Luc sont (　　　　　　).　ミホとリュックは感じがいい。

c. Sakiko est un peu (　　　　　), mais elle est encore très (　　　　) !
エ　タン　プー　　　　　　　　　　　　　　　エ　レ　トンコーる
サキコは少し太め、でもまだまだとても美しい！

d. Yoshio est un peu (　　　　　), mais il n'est pas (　　　　　).
ヨシオは少し頑固だが、悪い人ではない。

外見によく使う形容詞

grand(e) 大きい　　petit(e) 小さい　　beau / belle 美形だ、美しい
mince やせている　　gros(se) 太っている　　mignon(ne) かわいい
マンス　　　　　　　　グほ　（ス）　　　　　　　　　　　

性格や感情を表す形容詞

content(e) 満足している、うれしい　　sympathique 感じがいい
コントン　（トゥ）

gentil(le) やさしい、親切な　　têtu(e) ガンコだ
méchant(e) 意地悪な、（子どもやペットが）聞き分けのない
メシャン　（トゥ）

---

(2) (　) 内の er 動詞を主語に応じて活用してみましょう。

a. Vous (　　　　　　) les films français ? (aimer)
フランス映画はお好きですか？

b. J'(　　　　　　) à Kobe. (habiter)　わたしは神戸に住んでいます。
アビテ

c. Sakiko et Miho, elles (　　　　　) au tennis. (jouer)
オ　テニス
サキコとミホはテニスをする。

(CD 93)

aimer が好きだ、を愛している	
j' aime	nous aimons
tu aimes	vous aimez
il aime	ils aiment
elle aime	elles aiment

◀母音ではじまるer動詞の活用例

🐱 母音で始まる動詞は、どれでもjeの時のエリズィオン、il, elleの時のアンシェヌマン、複数人称のあとのリエゾンに気をつけましょう。

Laisse, laisse !

.... どうぞ、そのままにしておいて！

食事も終わり、サキコさんに気を使って、
リュックが食卓の上の食器を片付けようとします。すると、サキコさんが…

じゃあ…　　　　　、
どうもごちそうさまでした。
とてもおいしかったです。

レス　　　　　　レス
Laisse, laisse.
ジュ　フェ　ラ　　ヴェセル
Je fais la vaisselle
プリュ　ターる
plus tard.

心配しないで。
わたし一緒に
やるから。

74

😺 不規則動詞 faire （英 make と do）〜を作る、〜をする

・faire の活用（現在形）：フランス語は便利な動詞ほど、活用は不規則。faire もそのひとつです。単数人称のときは最後の2文字 re を s か t に置き換えます。活用語尾は発音しないので、読み方はいつも「フェ」。vous のときは、être が vous で活用したとき（vous êtes）と同じ活用語尾で、発音も似ています。

フェ fais / fait	フェットゥ faites
je fais / tu fais / il fait / elle fait	vous faites

faire の活用表 → p.83

・とりあえず faire で「家事」のお決まり表現

フェーる ラ キュイズィーヌ
faire la cuisine 料理をする　　ラ ヴェセル
faire la vaisselle 皿洗いをする

ル メナージュ
faire le ménage 家事、そうじをする　　ラ レスィーヴ
faire la lessive 洗濯する

😺 命令形

相手（tu か vous）に行動を指示したり、「〜しよう」と言う時に用います。三人称での用法はありません。通常の文章から主語を取ればできあがり。

Vous faites la vaiselle → フェットゥ Faites la vaiselle.　後片付けしてください。

Tu fais la vaiselle → フェ Fais la vaiselle.　後片付けしなさい。

Nous faisons la vaiselle → フゾン Faisons la vaiselle.　後片付けしようよ。

否定命令形では、やはり動詞を ne と pas ではさみます。

Vous ne faites pas la cuisine ici. → ヌ フェットゥ パ Ne faites pas la cuisine ici.

ここで料理をしないでください。

La clef 😺 ポイント ● er 動詞の命令形

er 動詞の命令形では、親しい相手（tu）に言うときは、最後の s がとれます。

レス ス ガトー レス ブーる
Tu laisses ce gâteau. → Laisse ce gâteau pour Miho.

そのケーキはミホに残しておきなさい。

75

Parlons en français

ディアローグの日本語を今度はフランス語で言ってみよう！ (CD 31)

> ボン バン
> Bon ben*,
> メルスィ ボク
> merci beaucoup.
> セテ トレ ボン
> C'était** très bon.

> どうぞ、そのまま
> にしておいて。
> 皿洗いは後でや
> るから。

> ヌ タンキエットゥ パ
> Ne t'inquiète pas.
> ジュ フェ
> Je fais la vaisselle
> アヴェッケル
> avec elle.

★ Bon, ben はよく聞く口語表現。「それじゃあ」という感じ。ben は bien の変形。

★★ était は être の過去形 → scène 30 半過去

🐾 **On peut dire aussi...** ●こんなことも言えますね… (CD 32)

ブジェ
Ne bougez pas. （動かないでください→） どうぞあなたは何もしないで。

アレ
Ça va aller. 大丈夫よ、何とかなるよ。

🌸 **Pratique !** ●faire を用いる表現 faire ＋ 部分冠詞＋名詞

スポーツする	デュ スポーる faire du sport	野球をする	デュ ベズボル faire du baseball
ヨガをする	デュ ヨガ faire du yoga	水泳する	ドゥ ラ ナタスィオン faire de la natation
ゴルフする	デュ ゴルフ faire du golf	ジョギングする	デュ ジョギング faire du jogging
ピアノを弾く	フェーる デュ ピアノ faire du piano	ギターを弾く	ドゥ ラ ギターる faire de la guitare

76

Colonne

13

フランス人男性は日本人男性より家事をやってる？

13

　夕方のスーパー、女性と男性、どちらが多いかさっと見当をつける
のは難しいのがフランス。この時間帯にはスーツ姿の人を見かけるの
もしばしば。また保育園や学校への送り迎えも、日本男性に比べると
ずっと存在感があるように見えます。

　では、フランス人男性は日本人男性と比べて家事により積極的に参
加しているのでしょうか。確かに、フランスでは共働きが多く、また
男性も日本より有給や育児休暇が取りやすいとはいえ、男性が女性と
同じように家事を分担しているかというと、そう単純ではないようで
す。フランス国立統計経済研究所が出した2010年の一日の過ごし方
に関する統計結果によれば、フランス人女性は平均して3時間半を家
事に消費しているのに対して、男性は約2時間という結果が出ていま
す。男性は家で日曜大工や庭いじり、ペットの世話には積極的でも、
掃除、洗濯、料理、子育て、介護に関しては女性に任せ気味なようで
す。どうやら見かけほどにはフランス家庭で男女の格差是正が進んで
いるわけではないようです。もっとも、先進国では稀に見るほど女性
の社会進出がおくれている日本からしたら、人々の意識はうんと進ん
でいるのかもしれませんが。

　とりあえず日本女性のみなさん、レディーファーストと家事をこな
すのとは別物ですから、どうぞおまちがいなく。

77

Scène 14

Les mystères des toilettes japonaises

デ　トワレットゥ
ジャポネーズ ····························· 日本式トイレの謎

* 「A（物）servir à B（名詞や動詞の原形）」で、「A は B（〜するの）に役立つ、B の役に立つ」。
上の例文では、B の部分に「何」quoi が入って、よく使われる疑問文を形作っています。

Un peu de grammaire　ちょっと文法

🐾 ir 型の不規則動詞

　原形の語尾が ir で終わる不規則動詞。servir のほか、partir（出発する、出かける）、
sortir（外出する）、dormir（眠る）などが同じ活用をする仲間。ぜひ一緒に覚えましょう！

14

・活用（現在形）：単数人称のときは最後の3文字（servirならvir）を、sかtに置き換え
ます。読み方はいつも「セール」。 vous の時は語尾ir をezに置き換えます。

セール sers / sert	セるヴェ servez
je sers / tu sers / il sert / elle sert	vous servez

servir の活用表 → p.82

🐾 人称代名詞の強勢形

　人称代名詞には主語とは別に、「強勢形」と呼ばれる形があります。

主語	je	tu	il	elle	nous	vous	ils	elles
強勢形	モワ moi	トワ toi	リュイ lui	elle	nous	vous	ウー eux	elles

・おもな使い方

(1) 会話で、相手に呼びかけたり、主語を強調する時など

　　ウー　　レ　　ジャポネ　　　　ケ　ス　キル　フォン　ドン　レ　トワレットゥ
　　<u>Eux</u>, les Japonais, qu'est-ce qu'ils font dans les toilettes ?

(2) C'est の　あと

　　アロ　　セ　モワ
　　Allô, c'est <u>moi</u>.　　もしもし、ぼくだけど。

(3) 前置詞のあと

　　ドーる　　シェ　　ゼルる　ス　ソワーる
　　Luc dort chez <u>elle</u> ce soir*.　　★ ce soir 今晩 → scène 18 指示形容詞

　　今晩、リュックは彼女の家に泊まるんだって。

La clef 🐱 ポイント　●動詞の現在形の活用まとめ

　単数の活用語尾は er 動詞なら、e-es-e、それ
以外の動詞では、ほとんど s-s-t の活用語尾です。
複数の活用語尾も基本は ons-ez-ent。ほかの時
制の活用もこの基本形に手を加えていけばでき上
がります。また être, avoir, aller を除けば、単数
の活用はみんな同じ発音です。

« -er- »		« -ir- »	
je	-e	je	-s
tu	-es	tu	-s
il / elle	-e	il /elle	-t
nous	-ons		
vous	-ez		
ils / elles	-ent		

Parlons en français

ディアローグの日本語を今度はフランス語で言ってみよう！

メ　ブックワ　タン
Mais pourquoi tant
ドゥ　ブトン
de boutons*?

ウー　レ　ジャポネ
Eux, les Japonais,
ケ ス　キル フォン
qu'est-ce qu'ils font
ドン　レ　トワレットゥ
dans les toilettes ??

これ
何のために
あるの？

* tant de + 無冠詞名詞　これほどたくさんの〜。本来「しかし」を意味する mais は、ここでは「なぜ」pourquoi の強調です。

On peut dire aussi... ● こんなことも言えますね… CD34

ウ
Où sont les toilettes ? − C'est en bas.

トイレはどこですか？ ― 下（の階）だよ。

ジュ　ブ　ユティリゼ
Je peux utiliser les toilettes ? − C'est occupé. / Occupé

トイレを貸してください*。 ― 使用中です。/使用中　 *直訳は「トイレを使ってもいいですか」

Pratique ! ● トイレの言葉

キャビネ
（トイレなどの）個室 un cabinet

スィエージュ
便座 un siège

シャス　ド
水洗 une chasse d'eau

パピエ　トワレットゥ
トイレット・ペーパー du papier toilette

80

14

謎がいっぱい、日本のトイレ

　フランス語でトイレは、les toilettes。単数で「身だしなみ」という意味もありますが（「オー・ド・トワレ」Eau de toilette は「トイレの芳香剤」ではありませんから、ご注意を！）、「トイレ」の意味で使うときはいつも複数形です。

　日本に来る多くの外国人が驚くことのひとつに、至る所にある無料で清潔なトイレがあげられるでしょう。近年では日本のウォームレットやウォシュレットがフランスのカタログにも登場していますが、フランス人はその手の機能にあまり関心がなさそう。実際に見た人はともかく、お尻を洗うだけでなく、時にはマッサージまでするウォシュレットを想像するのは難しいでしょうね。何しろ、壊れたときに自分で修理できるように、アマゾンで水洗のポンプ部分を売っているような国ですから（さすが、日曜大工の国！）、超ハイテクなウォシュレットの普及はそうそう進みそうもありません。

　さて、日本に来たフランス人に、この複雑なトイレをどう説明しましょうか？

「大」： Ce bouton est pour une grande chasse d'eau (pour le caca).

「小」： Ce bouton est pour une petite chasse d'eau (pour le pipi).

「洗」： Ce bouton sert à se laver les fesses.

　彼らには複雑な日本トイレの謎はまだまだ解決しきれないかもしれませんが、あとは試してのお楽しみですね。

　おっと、最後にちゃんと客人に立ったまま洗浄ボタンを押さないように注意をしておかないといけませんね！

Attention ! N'appuyez pas sur ce bouton sans vous asseoir sur le siège.
気をつけて！便座に座らないで、このボタンを押さないでくださいね。

Sinon, le jet d'eau vous trempe !
さもないと、飛び出した水で濡れてしまいますよ。

EXERCICES | *scènes 13-14*

Exercices d'oral キーフレーズを何度も発音して覚えよう！ (CD 35)

(1) 矢印の後は、音節を意識したキーフレーズです。発音されない字は小さくなっていますので、音節の切れ目（・）に注意して文を発音してみましょう。

Laisse, laisse. Je fais la vaisselle plus tard.

→ laiss_e · laiss_e. / j_e · fai_s · la · vai · ssell_e · plu_s · tar_d.

Ça sert à quoi !?

→ ça · se · r _t à · quoi !?

(2) さあ、つぎはキーフレーズを CD と同時に発音（シャドーイング）できるようになるまで練習してみましょう。

Un peu de prononciation ちょっと発音 ● 複母音字（その3） oi, oy「オワ」

　さあ、これで重要な複母音字が出そろいました！ « oi » とあったら、いつでも「オワ」。**toi**lettes は「トイレット」ではなく「トワレットゥ」です。それから、qu**oi** も pourqu**oi** も「クワ」、「プックワ」となります。

　« y » の綴り字は « i » と同じように発音しますが、« oy » はよく後ろに母音が組み合わさり、半母音（→ p.126）になるので、なかなか手強いです。« **voya**ge » は「ヴォヤージュ」ではなく、「ヴォワヤージュ」、« empl**oyé** » のように「エ」の音が続く時は、「アンプロワィエ」です。

servir ～に役立つ	
je sers	nous servons
tu sers	vous servez
il sert	ils servent
elle sert	elles servent

(CD 94)

(Exercices d'écrit) 次の質問に答えましょう。

(1) 日本語訳を見ながら、動詞 faire の正しい活用形を選んでみましょう。

a. Je (　　　　　) la vaisselle.

　　私は皿洗いをします。

b. Luc (　　　　　) la cuisine.

　　リュックは料理をします。

c. Vous (　　　　　) du sport ?

　　あなたたちはスポーツをしていますか？

d. On (　　　　　) du tennis dimanche prochain ?

　　次の日曜日、テニスをしようか？

> **faire** する、つくる
>
> je fais　　　nous faisons*
> tu fais　　　vous faites
> il fait　　　ils font
> elle fait　　elles font

CD 94

* faisons は例外的に、「フェゾン」で
はなく、「フゾン」と発音！

(2) 文頭の〔　　〕内の代名詞を強勢形にして文を完成させましょう。

a. 〔 tu 〕: Je pense* à (　　　　).

　　きみのことを想ってるよ。　　　　　　　* penser à + 人〜を想っている

b. 〔 je 〕: Qui est là ? ― C'est (　　　　).

　　そこにいるのは誰？ ― ぼくだよ。

c. 〔 ils 〕: Yoshio et Sakiko sont chez (　　　　).

　　ヨシオとサキコは、彼らの家にいるよ。

(3) a から c は、日常よく使う命令文です。正しい日本語の意味を選んで線で結
びましょう。

a. Servez-vous.　　　　　　　　　・　　　　・ おかけください。

b. Fermez la porte, s.v.p*.　・　　　　・ ご自由にお取りください。

c. Asseyez-vous.　　　　　　　・　　　　・ ドアをしめてください。

* s.v.p. = s'il vous plaît の省略形

83

Le futon, s'il te plaît !

·· ふとんをお願い！

日本の
ふとんで
寝たい？

うん！
ふとんを
お願い！

本物のふとん、
試してみたい！

アローる　サトゥ
Alors, ça te*
プレ
plaît** ?

サ　ム
Oui ! Ça me
プレ　　　　ボク
plaît beaucoup !

　＊ te → scène 34 間接目的補語代名詞

＊＊ 動詞 plaire の使い方に注意！「気に入るもの」が主語に、気に入る人は間接目的語になります。

　　《 主語 A ＋ plaire à ＋人 》＝「A は〜に気に入る」、つまり「〜は A を気にいる」。

Un peu de grammaire ちょっと文法

🐾 Oui/Non で答える疑問文

基本文を変化させて、文章全体を肯定 oui か否定 non か尋ねる疑問文を作って
みましょう

15

基本文：Vous avez des frères et sœurs. あなたには兄弟姉妹がいる。
<ヴ　ザヴェ　デ　フれーる　エ　スール>

(1) 倒置型：「動詞 - 主語」

Avez-vous des frères et sœurs ?
<アヴェ　ヴ>

主語が代名詞のときには、倒置したしるしに主語と動詞の間に -（trait d'union）
<トれ　デュニオン>
を入れます。書き言葉的な形です。

(2) 複合型：「Est-ce que ＋主語＋動詞」

Est-ce que vous avez des frères et sœurs?
<エ　ス　ク　ヴ　ザヴェ>

普通の肯定文の文頭に est-ce que を入れるだけ。とくに会話では倒置形を避け
る方が好まれるため、よく使われます。

(3) 口語型：語尾をあげるイントネーションだけで尋ねる

Vous avez des frères et sœurs ?

会話では、しばしば est-ce que も省かれ、肯定文の語尾のイントネーションを
あげる言い方だけで疑問文にしてしまいます。

La clef 🐱 ポイント ●疑問文での発音の注意

・Est-ce que の後ろに母音で始まる il(s), elle(s), on が来たら、エリズィオンが起こり
ます。発音にも要注意！

Est-ce qu'elle a des frères et sœurs ? 彼女には兄弟姉妹はいるの？
<エ　ス　ケ　ラ>

・倒置型のとき、動詞の語尾の母音字と il, elle, on の母音字が続くと、発音しにくいの
で、間に t をいれて、発音しやすくします。

Elle aime Luc ? → Aime-t-elle Luc ? 彼女はリュックを愛してるの？
<エ　レ　ム>　　　　　<エム　テ　ル>

ややこしい倒置型よりも、まずは est-ce que の疑問文に慣れるのがおすすめです！

85

Parlons en français

ディアローグの日本語を今度はフランス語で言ってみよう！　CD 36

Est-ce que tu （エ ス ク テュ）
veux* dormir （ヴ ドるミーる）
dans un futon （ドン ザン フュトン）
japonais ? （ジャポネ）

Oh, oui !
Le futon s'il te （ル フュトンスィルトゥ）
plaît ! （プレ）

Je veux bien （ジュ ヴ ビアン）
essayer un vrai （エッセイェ アン ヴれ）
futon ! （フュトン）

どう？
気に入っ
た？

うん、
すっごく気に
入ったよ！

*veux → scène 17 vouloir

☁ **On peut dire aussi...**　●こんなことも言えますね…　CD 37

J'aime bien essayer un vrai futon !　本物のふとんを試したいなあ。
J'ai bien aimé* ça !（ジェ ビアン エ メ）　これ、とても気に入ったよ。　* ai aimé → scène 27 複合過去

❀ **Pratique !**　●寝る時、翌朝の言葉

おやすみ　Bonne nuit !（ボンヌ ニュイ）　　よくおやすみ。　Dors bien !（ドーる）

いい夢を見てね。　Fais de beaux rêves !（フェ ドゥ ボ れーヴ）

タベ、いい夢を見たよ　J'ai fait un beau rêve cette nuit*.（ジェ フェ アン ボ れーヴ セットゥ ニュイ）

よく寝た！　J'ai bien dormi !（ドるミ）

* Cette nuit「今晩」は、早朝に使うと過ぎ去ったばかりの夜、つまり「昨夜」になるよ。cette → scène 18

15

ふとん と Futon

フランスの寝具売り場（サイト）を見ていると、しばしばfutonという言葉に出会います。フランス人は「フュトン」と発音しますが、そう、これは日本語の「ふとん」から来ているんです。でも、彼らが「futon」と呼んでいるものを見たら、「えっ、これがふとん？」と思う方もいるのではないでしょうか。なにしろ、彼らのfutonは日本のに比べて、随分、分厚いんです。とてもたためたものではありません。

実際、フランスでfutonといえば、それはベッドの上に置いて使う、通常たたまない「ふとんマットレス」matelas futonのことなんです。じゃあ、一体どこが「ふとん」なんでしょう？

ポイントは中身に、以前、日本のどのふとんにも使われていた綿を使っていること。この綿でヤシの繊維からなる層をサンドイッチ状に挟んで、厚みのあるマットレスにしているんです。相当重いのですが、毎日上げ下げをしなくてもいいので、その点はフランスでは問題にならないようです。寝心地もなかなかのもので、フランスでfutonは人気です。一緒にtatami を買う人も増えているようですよ。

Une douche dans un lavabo !?

·· 洗面所にシャワー!?

Un peu de grammaire　ちょっと文法

疑問詞を使った疑問文

qui キ	誰？	quand コン	いつ
que / quoi ク　クワ	何？	pourquoi ブックワ	なぜ
où ウ	どこ	combien★ コンビアン	いくら、いくつ

★ combien → scène 22

・作り方

(1) 倒置型（書き言葉的）:「疑問詞＋動詞 - 主語」

　　主語が代名詞のときは、倒置した主語と動詞の間に -（trait d'union）を。

Quand mangent-ils du fromage ?
モンジュ　チル　デュ　フロマージュ

彼らはいつチーズを食べるんですか？

(2) 複合型:「疑問詞＋ est-ce que ＋主語＋動詞」

Quand est-ce que les Français mangent du fromage ?
コン　テ　ス　ク

フランス人はいつチーズを食べるんですか？

(3) 口語型:「主語＋動詞＋疑問詞」か「疑問詞＋主語＋動詞」

Pourquoi tu ne manges pas ? − Parce que je n'aime pas ça.
ブックワ　テュ　ヌ　モンジュ　パ　　　パス　ク　ジュ　ネム　パ　サ

どうして食べないの？ ― だって、それ好きじゃないんだもん。

Il est où, Otôsan ?　お父さんはどこ？

C'est qui ?　それは誰？　　C'est quand ?　それはいつ？

La clef 　ポイント　●疑問文の注意点

・フランス語は代名詞が大好き。倒置型では固有名詞を代名詞でまた受け直して疑問文にします。

Quand les Français mangent-ils du fromage ?

・quoi は que の強勢形。でも会話で使うと、よりくだけた言い方に。

Qu'est-ce que tu fais demain ? ＝ Tu fais quoi demain ?
ドゥマン

明日、何してる？

ちなみに、quoi もほかの強勢形と使い方は同じだよ → scène 14　強勢形

16

89

Parlons en français

ディアローグの日本語を今度はフランス語で言ってみよう！ CD 38

何これ？
洗面所にシャワー !?

メ　イリヤ
Mais, il y a déjà*
ユヌ
une douche
ア　コテ
à côté ?

フム　イル　ソン
Hum, ils sont
キュリウー
curieux,
レ　ジャポネ
les Japonais...

★ déjà：「すでに」

🌥 On peut dire aussi...　●こんなことも言えますね…　CD 39

ブッシェ　　　　　　　　　　クール
Le lavabo est bouché ! L'eau ne coule pas !

洗面所がつまってます！水が流れません！

ドー　　　ショードゥ
On n'a pas d'eau chaude !　　お湯が出ません！

🌸 Pratique !　●洗面所とお風呂場の言葉

ベニョワーる
浴槽 une baignoire

サヴォン
石けん du savon

せるヴィエットゥ
タオル une serviette

シャンプワン
シャンプー（剤）du shampoing

ラプレ　　シャンプワン
リンス（剤）de l'après-shampoing

ネトワイアン　デュ　ヴィザージュ
洗顔剤 un nettoyant du visage

ブろ　サ　ドン
歯ブラシ une brosse à dents

ドンティフリス
歯磨き粉 du dentifrice

らゾワーる
ひげ剃り un rasoir

90

16

フランスのトイレ事情

　Scène 14のコラムでは、日本のトイレについて話しましたが、果たしてフランスのトイレ事情は？そもそも、フランスには日本ほどたくさんのトイレはありません。日本で定番のデパートや駅のトイレは、フランスでは実に存在感がうすく、見つけるのが大変。また苦労して見つけても小銭がないと使えない場合がほとんどです。入り口にはお掃除のためというよりは、見張り番のようなおばさんが小皿を置いて控えていることもあり、そんなときはいくらかチップを置いてこないといけません。

　かつては、もともと便座 le siège がない（！）便器に出会ったり、「トルコ式」と言われる一種の和式スタイルのトイレにお目にかかることもありました。このトルコ式とは広い便器部分に2カ所ほど微妙に高くなった足置き場があるタイプで、まるで小川の飛び石に足をおいてまたいでいる気分…

　路上に無料の公衆トイレも増えましたが、衛生事情や機能状態を考えると出来れば避けたいものです。一番無難なのは、結局カフェやレストランのトイレ。だいたい、カフェやレストランではトイレは地下や2階にあることが多いです。機会を逃さずに、立ち寄ったカフェやレストランではトイレに行っておきましょう。

CD 40

Exercices d'oral キーフレーズを何度も発音して覚えよう！

(1) 矢印の後は、音節を意識したキーフレーズです。発音されない字は小さくなっていますので、音節の切れ目（・）に注意して文を発音してみましょう。

Est-ce que tu veux dormir dans un futon japonais ?

→ e~st~ c~e~ · qu~e~ · tu · veu~x~ · dor · mir ·
dan · <u>s un</u> · fu · ton · ja · po · nai~s~ ?

Ça te plaît ? − Oui, ça me plaît beaucoup !

→ ça · t~e~ · plaî~t~ ?
− oui / ça · m~e~ · plaî~t~ · beau · cou~p~ !

(2) さあ、つぎはキーフレーズを CD と同時に発音（シャドーイング）できるようになるまで練習してみましょう。

Un peu de prononciation ちょっと発音 ●するどい「ユ」：u

　綴り字は « u » ですから、ローマ字読みをすると「ウ」ですが、音は日本語の「ユ」に近いです。でも、日本語の「ユ」に比べるとずっとするどい音です。まず口を真横に引いて「イ」の形にします。口の中はそのまま「イ」を出す時の形で保ったまま、唇だけどんどん前に出してたこ口状に狭めていきます。その状態でするどく「ユ」！　なんだか顔の筋肉が動いて、美容に良さそうですねえ。

　でも、難しいようなら、まずは日本語の「ユ」を、もっとタコの口のように丸めて突き出し、力強く「ユ」と言って練習しましょう。

(Exercices d'écrit) 次の質問に答えましょう。

(1) 次の疑問文を est-ce que を使った疑問文にしてみましょう。

a. Avez-vous des enfants ?　お子さんはいらっしゃるの？

→

b. Est-il français ?　彼はフランス人ですか？

→

c. Tu aimes les films français ?　フランス映画は好き？

→

(2) 日本語にあう疑問詞を囲いから探して、文を完成させましょう（すべてくだけた表現です）。

a. C'est (　　　　), ton numéro de portable ?
_{トン　ニュメろ　ドゥ　ぽるターブル}

きみの携帯番号、何？

b. C'est (　　　　), son anniversaire ?
_{ソ　ナニヴェるセーる}

彼の誕生日は、いつ？

c. Il est (　　　　), Satoshi ?

サトシはどこにいるの？

d. C'est (　　　　), cette fille ?
_{セットゥ}

誰、その女の子？

qui	où
que	comment
quoi	pourquoi
quand	

(3) 文をつなげて、疑問文を完成させましょう。

a. Qu'est-ce que　•

　• voulez-vous dormir dans un futon ?
_{ヴレ　ヴ}

b. Pourquoi　•

　• il aime le bain japonais ?

c. Est-ce qu'　•

　• tu fais demain soir ?

🦉 ヒント：前半の文の形から、意味がわからなくても、後半の文は見つけられるよ。

93

Le petit déjeuner à la japonaise

ル　プチ　デジュネ

·········· 日本風朝食

サキコさんはさっそくリュックに日本的な朝食 le petit déjeuner を披露しているよう
ですが…

Un peu de grammaire ちょっと文法

😺 不規則動詞 vouloir（英 want）〜が欲しい、〜がしたい、〜を望む

非常によく使う不規則動詞です。しばしば後ろに動詞の原形を従えて使います。

・vouloir の活用（現在形）：単数の活用語尾は、s-s-t の代わりに、x-x-t を。vous の活用は、語尾の最後3字 oir をとっていつもの語尾 ez に。

ヴ veux / veut	ヴレ voulez
je veux / tu veux / il veut / elle veut	vous voulez

vouloir の活用表 → p.103

・おもな用法

(1) 欲しいものを表す vouloir ＋ 名詞

Je veux du café. （コーヒーが欲しい→）コーヒーが飲みたい。

(2) したいことを表す vouloir ＋ 動詞の原形

Je veux faire du tennis demain. 明日はテニスがしたい。

(3) 人を誘うときや、人の意向を尋ねるとき

Voulez-vous quelque chose ?
ヴレ ヴ ケルク ショーズ

（招待した人に飲み物などをすすめて）何か召し上がりますか？

La clef ポイント ●vouloir と婉曲表現

「〜がしたい」という表現は、要望がダイレクトになりすぎないように婉曲にした形でよく使われます。

たとえば、vouloir のあとに bien を入れます。

Je veux un café. → Je veux bien un café.

また vouloir を条件法＊という形に変えて、Je voudrais 〜を使うと、丁寧な依頼の表現になります。

＊条件法 → scène 35

Bonjour, je voudrais deux croissants et une baguette, s'il vous plaît.
ジュ ヴドレ

こんにちは、クロワッサン2個とバゲット1本ください。

ディアローグの日本語を今度はフランス語で言ってみよう！

🐑 On peut dire aussi... ●こんなことも言えますね…   CD 42

ジュ プ
Je peux* goûter ?   味見してもいいですか？   ★ peux → scène 18 pouvoir

Si tu veux. / Si vous voulez.   もしよかったら / もしよろしければ

🌸 Pratique ! ●味の表現2（おいしい、まずい以外）

塩味のついた サレ salé   塩辛い トロ trop salé   甘い スュクれ sucré

ピリ辛い ピカン piquant   香辛料の効いた エピセ épicé, るルヴェ relevé   酢ですっぱい ヴィネグれ vinaigré

苦い アメーる amer   味が濃い、くせが強い フォーる fort   味がなくてまずい ファドゥ fade

96

Colonne

17

日本の朝ご飯、フランスの朝ご飯

フランス人は朝食にクロワッサンを食べると思っている人は案外多いかもしれません。しかし、実際に朝食でクロワッサンを食べるのはかなり特別なときだけ。最近では、シリアル des céréales もよく食べるようですが、フランスの朝食で一般的なのはタルティーヌ une tartine です。タルティーヌというのは、薄切りにしたパンの上に、パテやハム、チーズなど、いろいろな具をのせたもの一般を指しますが、朝食に食べるタルティーヌは、だいたいバターにジャムや蜂蜜をのせたもの（「塗る」というより、「のせる」というほうがふさわしいほど彼らはたっぷりつけます。ま、それがおいしいんですが）。子どもなら、「ヌテラ*」というチョコレートをつけて食べるのも大好き。これらのパンを大きなお椀 un bol にいれたコーヒーやカフェ・オ・レ、ココアなどに浸しながら食べるのがフランス流です。俄然、甘党朝食ですよね。イギリスなどと違って、フランスでは朝食に卵やベーコンのような塩気のタンパク質を取る習慣はなく、「朝から塩味」、とくに干物 du poisson séché のような生臭い魚はどちらかといえば苦手なんですね。

もちろん、日本好きのフランス人なら、日本に来れば張り切って、ご飯 du riz にみそ汁 de la soupe de miso 、お漬け物 des légumes salés といった塩味 salé の朝食にも挑戦するでしょう。

* Nutella：ヨーロッパで知らぬ人はいないというぐらい、お子ちゃまに大人気のクリーム状チョコレート。もとはイタリアから。

Le journal du matin

ル　ジュるナル　デュ　マタン

朝の新聞

まだまだ日本の多くの家庭では、朝食の食卓に新聞はつきものですね。

Luc, tu peux passer ce journal à Papa, s'il te plaît ?

テュ　プ　パセ　ス
ジュるナ　ラ

はいはい、もちろん！

オトーサン、どうぞ♥

や、ど、どうも…

Un peu de grammaire　ちょっと文法

🐾 不規則動詞 pouvoir（英 can）〜できる、〜しうる

　これもよく使う動詞です。後ろにくるのは動詞の原形のみで、vouloir（→ scène 17）と違って名詞が次にくることはありません。

・**pouvoirの活用（現在形）**：不規則動詞ですが、パターンはvouloir（scène 17）と同じ！

peux / peut	pouvez
je peux / tu peux / il peut / elle peut	vous pouvez

pouvoir の活用表 → p.103

・**おもな用法**

（1）（条件、状況的に）できることを表す（〜できる）

Je peux faire du tennis demain.　明日はテニスができるよ。

（2）許可を求める　pouvoir + 動詞の原形（〜してもいいですか）

Je peux goûter ?　味見してもいいですか？

（3）（二人称を主語に疑問の形で）依頼する（〜してくれますか）

Tu peux passer ce journal à Papa, s'il te plaît ?

パパにこの新聞渡してくれる？

🐾 指示形容詞　これ、それ、あれ

冠詞の代わりに名詞の前において使います。後ろに来る名詞の性・数にあわせて変化します。

男性単数名詞	女性単数名詞	男・女複数名詞
ce (cet)	cette	ces

ce journal　その新聞　　cette boutique　この店

ces garçons　あの少年たち　　ces filles　その少女たち

🐱 cet は後ろに母音で始まる男性名詞が来たときに使うよ。発音注意！

cet homme　あの男　　cet appartement　そのマンション

La clef 🐱 ポイント　●指示形容詞の距離感

　日本語と違い、フランス語では「これ」「それ」「あれ」の間に距離的な使い分けはありません。日本語に訳すときに、区別するんですね。

▪ Parlons en français ▪

ディアローグの日本語を今度はフランス語で言ってみよう！　　　　　　CD 43

★ tenez は物を差し出すときにいう言葉。動詞 tenir「つかむ」の命令形からきています。(→ p.20 tiens)

☁ **On peut dire aussi…** ● こんなことも言えますね…　　　　　　CD 44

Tu peux me* passer le sel, s'il te plaît ?　　お塩、取ってくれる？
　　　ム　　　　　　　　ル　セル

　　　　　　　　　　　　　　　　　* me「私に」→ scène 34　間接目的語をうける代名詞

Luc, tu peux m'aider* ?　　リュック、手伝ってくれない？
　　　　　　　　メデ
　ビアン　スュール　　　　　　　　　ア　ナンスタン
ー Bien sûr !　もちろん！　　ー Un instant !　ちょっと待って！

　　　　　　　　　　　　　　　　* m' = me「私を」→ scène 32　直接目的語をうける代名詞

❀ **Pratique !** ● 時の表現と指示形容詞

指示形容詞は、よく時を表す表現と組み合わさって使われます。

　　　　　　　　　ス　マタン　　　　　　　　　　　セタ　プれ　ミディ
（この朝→）今朝　ce matin　　今日の午後　cet après-midi
　　　ス　ソワーる　　　　　　セットゥ　スメンヌ　　　　　　ス　ウィケンドゥ
今晩　ce soir　　今週　cette semaine　　今週末　ce week-end
　　ス　モワ　　　　　　　　セ　タ　ネ
今月　ce mois　　今年　cette année

18

フランスの新聞

　子どもが毎朝お父さんに新聞を届けるというのは昭和ドラマのお決まりの光景でしたが、最近ではあまり目にすることはなくなったのではないでしょうか。しかし、そもそもフランスではこういう光景にお目にかかることは、まずありません。それもそのはず、自宅まで新聞を配達するというシステム（le portage）自体、都市部にはほとんど存在しないからです。ではみんなどうやって新聞を手に入れるのでしょう？

　たいていは街中のキオスクで購入します。キオスクの多くは緑の箱形あるいは筒型の造りで、新聞、雑誌、ガムから切手、メトロの切符さらにはおみやげ物まで、なんでも売っていてコンビニのよう。

　ではフランスの新聞にはどのようなものがあるのでしょう。販売部数順に見ていくと、まず第１位は地方紙ル・パリジャンLe Parisienの全国版オジュルドゥイ・オン・フランスAujourd'hui en France（約36万部）。第２位は最も古い歴史を持つル・フィガロLe Figaro（中道右派・約32.1万部）。エリート向けの高級夕刊紙ル・モンドLe Monde（約29.2万部・中道左派）が第３位。第４位はスポーツ新聞レキップL'Equipe（約22.9万部）。やはり人気ですね。第５位は経済紙レ・ゼコーLes Echos（約12.9万部）。左派に人気が根強いリベラシオンは第６位（約9.1万部）。（2015年OJD調べ）

　日本の新聞購読数に比べるとかなり少ないと思われるかもしれません（世界新聞協会の調べでは、第１位は読売新聞で約895万部）。理由のひとつは前述の宅配システムがないことと、もうひとつは無料紙の存在。地下鉄の駅などで毎朝配布される無料紙は通勤途中などに気軽に読めることから、部数を伸ばしています。ヴァン・ミニュットゥ20 minutesやメトロMetroが主なものですが、メトロは2015年5月で紙媒体での発行を取りやめ、ウェブ上でのみニュースを配信するようになりました。メディアのあり方もめまぐるしく変化しています。

(1) 矢印の後は、音節を意識したキーフレーズです。発音されない字は小さくなっていますので、音節の切れ目（・）に注意して文を発音してみましょう。

Tu veux goûter ça ? — Oui, je veux bien !

→ tu · veuₓ · goû · teᵣ · ça ?

— oui / jₑ · veuₓ · bien !

Tu peux passer ce journal à papa, s'il te plaît ?

→ tu · peuₓ · pa · sseᵣ · cₑ · jour · na · l à

· pa · pa / s'il · tₑ · plaîₜ ?

(2) さあ、つぎはキーフレーズを **CD** と同時に発音（シャドーイング）できるようになるまで練習してみましょう。

Un peu de prononciation　ちょっと発音 ●「ウ」のまとめ

日本語で「ウ」の音に近いものをいくつか取り上げてきましたが、少しまとめてみましょう。(1) から (4) にむけて、徐々に口が広がっていきます。

(1) « ou » [u]　「するどいウ」：唇を丸くすぼめて突き出し、力強く「ウ」！

→ **ou** あるいは、 **où** どこ、 **vous** あなた、あなたたち

(2) « e » [ə]　よわい「ウ」：語末や音節最後にある e は、しばしば発音されません。前の子音に添えて、日本語の「う」の口で息を吐く程度に。

→ **je** 私、 **p**e**tit** 小さい、 **ce** その、あの、この

(3) « œu »、« eu » [ø]　「ゆるいウ」：「お」の口で、「エー」

→ **un p**eu 少し、 **f**eu 火、信号

(4) « œu »、« eu » [œ]　「もっとゆるいウ」：「お」の口で、「ウー」

→ **œuf** たまご、 **h**eu**re** 時間、 **b**œu**f** 牛肉

(Exercices d'écrit) 次の質問に答えましょう。

(1) a～fの単語の冠詞を指示形容詞 ce (cet), cette, ces で置き換えてみましょう。

a. une photo   **b.** un appartement   **c.** un cadeau

→   →   →

d. des photos   **e.** des appartements   **f.** des cadeaux

→   →   →

(2) 日本語を参考に vouloir か pouvoir を選び、正しい形に活用して（　）を埋め、文を完成させてください。

a. Tu (　　　　) du café ?

コーヒー、欲しい？

b. Je (　　　　) goûter ce gâteau ?

そのお菓子、味見してもいいですか？

c. Ils (　　　　) manger japonais*.   * manger japonais → p.166

彼らは日本食を食べたがっている。

d. On (　　　　) avoir la carte, s'il vous plaît ?

（レストランなどで店員さんに）メニューもらえますか。

🐱 ヒント：直訳すると「わたしたちはメニューを得ることができますか」。日本語でいう「メニュー」は、la carte になるよ。

CD 94	
vouloir ～が欲しい、～したい	
je veux	nous voulons ヌ ヴュロン
tu veux	vous voulez
il veut イル	ils veulent ヴル
elle veut エル	elles veulent ヴル

CD 94	
pouvoir ～ができる	
je peux	nous pouvons ヌ プヴォン
tu peux	vous pouvez
il peut イル	ils peuvent プーヴ
elle peut エル	elles peuvent プーヴ

Petite excursion !

プチ　テクスキュるスィオン

······ ちょっとお出かけ！

どこに行くの？

オン　ヴァ　ア
On va à
Kyoto ?

OK.
どこを観たい？

仁和寺の
仁王像もいいぞ！

Un peu de grammaire ちょっと文法

🐾 不規則動詞 aller（英 go）（～へ，～に）行く、～しに行く

・aller の活用（現在形）

ヴェ vais	ヴァ vas / va	アレ allez
je vais	tu vas / il va / elle va*	ヴ　ザレ vous allez

＊ これ、« ça va ? »のva と同じものです。allerの活用表 → p.113

・**用法**：後ろに「前置詞＋場所」を従えて使います。« aller à＋場所 »「(場所)に行く」
といった具合に、前置詞« à »と一緒に使うことが多いです。

🦉 国名は男性名詞、女性名詞と分かれているけど、都市名は無冠詞で使えるよ。

🐾 前置詞àと冠詞le, les の縮約 / 冠詞の縮約（1）

allerの後が、« à＋le »または« les＋名詞 »の時は縮約といって、ひとつにくっついた
形(au, aux)になります。　　→ p.129 La clef 🐾 前置詞deと冠詞le, les の縮約/ 冠詞の縮約（2）

> à＋le → オ
au　　à＋les → オ
aux

On va au restaurant ce soir.　　今夜はレストランに行こう。

Je vais aux toilettes.　　トイレに行ってくるよ。

ただし« à l'＋母音で始まる語 »、« à la ＋女性単数名詞 »のときは不変。

Il va à l'école.　　彼は学校に行く。

Tu vas à la poste ?　　郵便局に行く？

La clef 🐱 ポイント ● 人称代名詞 on

人称代名詞 on は１）一般的な人 ２）私たち nous の代わりとして、日常会話では頻
繁に用いられます。というのも、on に続く動詞の活用は il や elle と同じなので、on
が使えれば、nous の活用は覚えなくても大丈夫。とっても便利！

(1)「一般的な人」：Au Canada, on parle anglais et français.

カナダでは、英語とフランス語が話されます。

(2)「私たち」nous の代わり：On dîne ensemble ?

（私たち）一緒に夕食食べない？

19

105

ディアローグの日本語を今度はフランス語で言ってみよう！　　　　(CD 46)

☁️ **On peut dire aussi...** ●こんなことも言えますね…　　　　(CD 47)

Ce temple est loin* de la station ?　　その寺は地下鉄の駅から遠いの？

C'est près* de Kinkaku-ji.　　金閣寺の近くだよ。

＊ loin de... …から遠い　⇔　près de... …に近い

「金閣寺」は le temple du Pavillon d'or とも言うよ。

🌸 **Pratique !**　●観光にまつわる言葉

歴史的建造物　le monument historique　　　美術館、博物館　le musée

教会　l'église　　大聖堂　la cathédrale　　寺院　le temple

神社　le temple（あるいは le sanctuaire）shinto

Colonne

19

パリ市内の公共交通機関

Colonne

19

パリ市内の公共交通機関

　パリには地下鉄 métro をはじめとして、バス bus、郊外と市内を結ぶ電車 RER、路面電車 tram などさまざまな公共交通機関があります。なかでもパリの街を移動するのに欠かせないのがメトロ。現在 14 番線まであり、パリの街の下を縦横無尽に走るメトロを使いこなせれば、あなたもパリ通！でもせっかくパリに来たのだから景色を味わいたいという方にはバスがオススメ。のんびりとパリの街並を眺めながら走るバスの車窓からは、新たなパリの一面が発見できるかもしれません。

　しかしパリでは慢性的な交通渋滞や自動車の排気ガスによる大気汚染が深刻化してきています。この問題を解消するために導入されたのが、ヴェリブ Vélib' という自転車貸出システム。スタシオン station と呼ばれる駐輪ポイントで自転車を借り、移動先のスタシオンに返却するというもので、最近では日本でも東京や神戸などで実施されています。2018 年からはデザインも一新し、電動アシスト付き自転車も導入され、郊外にもスタシオンを拡げて、ますます便利に生まれ変わりました。

　近年ではスマホのアプリで配車を行うサービスも存在感を増しています。しかし利用者が増加する一方で、環境への影響に対する懸念も。ある調査では利用者の半数以上が、CO_2 排出量の少ない車であれば、もっと料金が高くなっても構わないと回答しているようです。エコロジーを重んじるフランスならではですね。

▲ヴェリブの駐輪ステーション

Prenons le train !

プるノン   ル   トらン

.... 電車に乗って行こう！

電車の自動券売機にとまどうリュック…

オン   プろン   ダボーる   レクスプれス   エ   ピュイ

On prend d'abord l'express, et puis

オン   ションジュ   ダコーる

on change à Katsura. D'accord ?

どうやるんだろ？

すごい！
お札を二枚同時に
入れられるの？

何してるの？
こっちよ！

Un peu de grammaire ちょっと文法

😺 不規則動詞 prendre（英 take）とる、注文する、乗る、etc.

ブろンドる

・prendre の活用（現在形）

prends / prend ブろン	prenez プるネ
je prends / tu prends / il prend / elle prend	vous prenez

prendre の活用表 → p.113

・**用法**：prendreは英語のtakeにあたる動詞で、さまざまな場面で用いられます。

(1) 手に取る　Il prend un stylo.　彼はペンを手に取る。 スティろ

(2) （食事などを）とる、注文する

On prend le déjeuner ensemble ?　一緒にランチ食べる？ デジュネ　　アンサンブる

(3) 乗る　Vous prenez le train ?　電車に乗りますか？ トらン

(4) 写真を撮る　Vous pouvez prendre une photo (de nous) ? フォト　ドゥ　ヌ

（私たちの）写真を撮ってくれませんか？

🐾 ただし「お持ち帰り take out」はフランス語では « à emporter » ア オンポるテ

😺 不規則動詞 venir（英 come）来る ヴニーる

・venir の活用（現在形）

viens / vient ヴィアン	venez ヴネ
je viens / tu viens / il vient / elle vient	vous venez

venir の活用表 → p.113

・**用法**：aller と同じように、後ろに場所を表す前置詞を従えて使います。

Il vient chez nous.　彼は私たちの家へやって来る。

Quand est-ce que* tu viens au Japon ?　いつ日本に来るの？ コン　テ　ス　ク

★ quand や grand など d でおわる語のあとに母音がきてリエゾンするときは d が t の音にかわります。

La clef 😺 ポイント

ひとに呼ばれて、「今行くよ」という場合、英語では « I'm coming. » ですが、フランス語では venir ではなく、arriver（到着する）を使って、« J'arrive ! » と言います。同じような意味でも言語が変われば、言葉の守備範囲も変わってきます。 アリヴェ　　　　　　　　　　　　ジャリーヴ

109

Parlons en français

ディアローグの日本語を今度はフランス語で言ってみよう！ `CD 48`

> まず特急に乗って、それから桂で乗り換えね。わかった？

オン フェ
On fait
コモン
comment ?

スュペーる セットゥ
Super ! Cette
マシーヌ プろン ドゥ
machine prend deux
ビエ ア ラ フォワ
billets à la fois★ !

Qu'est-ce que tu fais ?
ヴィアン パふ ラ
Viens, c'est par là !

★ à la fois「一度に」

☁ **On peut dire aussi…** ● こんなことも言えますね… `CD 49`

Comment faire ? どうしよう？ どうすればいいんだ？

サ イ エ マるシュ
Ça y est ! Ça marche ! よし！動いた！

🌸 **Pratique !** ● 移動手段いろいろ

バス（電車、飛行機、船、タクシー）に乗る

ビュス トらン ラヴィオン バトー タクスィ
prendre le bus (le train, l'avion, le bateau, le taxi)

バス（電車、飛行機、船、タクシー）で行く

オン オ ナヴィオン
aller en bus (en train, en avion, en bateau, en taxi)

自転車で（歩いて）行く

ア ヴェロ ア ピエ
aller à vélo (à pied)

🐱 屋根がある乗り物は前置詞 en を、屋根がない時は前置詞 à をつけて使うよ。

20

フランスでは、いつもどこか故障している・・・

　フランスの空港にたどり着いた旅行者が、重い荷物を持ってホテルに向かう途中で故障（Hors service）したエスカレーターに出会ったら、自分をひどく不運に思うでしょう。さらに市内への切符を買おうとすると、自動販売機の前ではすごい行列。お、人が並んでいない機械があると思いきや、これまた故障。どうにも不運だと首を傾げつつ、やむなく両替したての真新しいユーロ札を握りしめ行列に並んで、ようやく自分の番が来たときに、よくよく機械をみるとお札を入れるところがなく、支払いはカードか小銭だけ。度重なる不幸と何とも言えない腹立たしさを呑み込むように、おしゃべりして休憩している職員に両替機のありかを尋ねてそこへ行ってみると、これまた呪わしいあの張り紙が…Hors service！

　ここまでくると「世にも奇妙な物語」の始まりにでもなりそう？確かに、日本でここまで運悪く故障にぶち当たる人はフィクションの中でしかお目にかかりません。しかし驚くなかれ、フランスではこの種の話がゴロゴロしているのです！ 皆さん、フランスの機械をゆめゆめ信用し過ぎないように！ しかし、あの恐るべき « Hors service »という言葉に泣く思いをしているのは皆さんだけではありません。故障のひとつやふたつにくれぐれもめげないように。なにしろ、ここフランスは、エレベータにせかせかと扉を閉める機能など不要だと思っている国ですから（フランスのエレベータには普通、「閉」ボタンはありません）、どうぞ心をゆるーくもって。

　あ、それからフランスは日本よりもうんとカード社会です。Visa かMasterのクレジットカード（と、その4桁の暗証番号＝code）は、フランスやヨーロッパ旅行には必須ですよ。

EXERCICES │ *scènes 19-20*

Exercices d'oral キーフレーズを何度も発音して覚えよう！　　CD 50

(1) 矢印の後は、音節を意識したキーフレーズです。発音されない字は小さくなっ
ていますので、音節の切れ目（・）に注意して文を発音してみましょう。

On va à Kyoto ? → on・va・à・Kyo・to ?

On prend d'abord l'express, et puis on change à Katsura.

→ on・pren_d・d'a・bor_d・l'ex・press /

e_t・pui_s・on・chan・g_eà・Ka・tsu・ra.

(2) さあ、つぎはキーフレーズを CD と同時に発音（シャドーイング）できるよ
うになるまで練習してみましょう。

Un peu de prononciation ちょっと発音 ● 鼻母音（その1）

　鼻母音は鼻から息を抜いて発音する音で、いかにもフランス語らしい音ですね。鼻母
音を発音するときのポイントは、口の形を変えずに、鼻の方へ空気を抜くようにするこ
とです。鼻母音は大きく分けて3つありますが、ここではまずそのうちの2つを見てい
きましょう。

« an »、« am »、« en »、« em » [ã]「アン」:「ア」と「オ」の中間の音で、大きめの
口で喉の奥の方から「アン」。ほとんど「オン」に聞こえる時も。この本では「アン」
か「オン」でルビをうっています。

→ changer 変える　ensemble 一緒に

« on »、« om » [õ]「オン」:口を「お」の形のまま鼻から息を抜いて「オン」。

→ nom 名前　oncle おじさん

Exercices d'écrit 次の質問に答えましょう

(1) つぎの文中の（　）内に aller か venir を選んで、活用して入れてみましょう。

a. Je (　　　　　) à l'école.　僕は学校に行くよ。

b. Où est-ce que vous (　　　　　) ? – On (　　　　　) à Kobe.
あなたたちどこに行くの？　　　　　神戸に行くんです。

c. D'où ドゥ (　　　　　)-vous ?　どちらからお越しですか？

d. (　　　　　) avec moi.　私といっしょに来て。　　★ 命令形 → p.75

aller　行く		CD 94
je vais	nous allons ヌ ザロン	
tu vas	vous allez	
il va	ils vont ヴォン	
elle va	elles vont	

venir　来る		CD 94
je viens	nous venons ヴノン	
tu viens	vous venez	
il vient	ils viennent ヴィエンヌ	
elle vient	elles viennent	

(2) prendre を正しい形に活用させて、a～d の（　）に入れましょう。

a. Je (　　　　) une douche tous les matins.*
トゥ レ マタン

私は毎朝シャワーを浴びます。　　　　　* tous les matins「毎朝」

b. Luc (　　　　) le bus pour aller à la pâtisserie.
パチスリ

リュックはケーキ屋に行くのにバスに乗ります。

c. Elles (　　　　) le petit déjeuner ensemble.

彼女たちはいっしょに朝食を食べる。

d. Luc, on (　　　　) une photo, ici.　リュック、ここで一枚写真をとろう。

prendre　とる、乗る、注文する		CD 94
je prends	nous prenons プルノン	
tu prends	vous prenez	
il prend	ils prennent プレンヌ	
elle prend	elles prennentt	

Scène 21 — Café au Japon

日本のカフェ

二人は、カフェでひと休み。コーヒーと本日のケーキ（モンブラン）を頼んだのですが…

申し訳ありません。本日のケーキは売り切れました。

モンブランはないですか？

アンコわイヤーブル
Incroyable…
イル ニ ヤ ク デ ファム
Il n'y a que des femmes dans ce café.

114

Un peu de grammaire ちょっと文法

😺 さまざまな否定表現

否定の基本は「動詞を ne と pas で挟む」。でも、pas の部分を変えるだけで、表現がうんと豊かになります。

(1) pas → plus 「もはや〜ない、もう〜ない」

　　　　ナ　　　プリュ
　　On n'a plus de gâteaux du jour.　　本日のケーキはもうありません。
　　　　　　　　　　　　　　ジュール

(2) pas → jamais 「一度も〜ない」「決して〜ない」

　　　　　　　ジャメ　　　　　　　　ポワッソン　クリュ
　　Il ne mange jamais de poisson cru.　　彼は絶対生の魚は食べないよ。

(3) pas → rien 「何も〜ない」

　　　　　　　リアン　　　オジュルドゥイ
　　Je n'achète rien aujourd'hui.　　今日は何も買わない。

(4) pas → personne 「誰も〜ない」

　　　　　　　　　ペルソンヌ
　　Elle n'aime personne.　　彼女は誰も愛していないんだ。

(5) pas → que 「〜しかない、〜だけある」

　　Il n'y a que des femmes dans ce café.

　　　　　　　😺 que 以下は、肯定なので（つまりゼロではない）、冠詞はそのままだよ。

😺 否定疑問文

日本語では相手の言葉に対して肯定か否定かで答えますが、フランス語では後ろに肯定文が続くときは肯定« si »、否定文が続くときは否定« non »と、自分の意志に肯定か否定かで答えます。

　　　　　　　　　　　　　モン　　ブラン
　　Vous n'avez pas de mont-blanc ?　　モンブランはないですか？

　　スィ　ヴ　ゾン　ヴレ　　コンビアン
あるとき → Si, vous en voulez combien ?　　😺 oui じゃないよ

　　ありますよ。おいくつ入り用ですか？

　　　　　　　ヌ　　ノン　ナヴォン　　バ
ないとき → Non, nous n'en avons pas.　　ええ、ありません。

La clef 😺 ポイント ●否定表現を組み合わせると…

上記の否定表現は組み合わせて使うこともできます。

Nous n'avons plus que des gâteaux au chocolat.

　　もうガトー・ショコラしかありません。

Je n'achète jamais rien dans ce magasin !

　　この店では絶対何も買わない！

◗ Parlons en français ◖

ディアローグの日本語を今度はフランス語で言ってみよう！ [CD 51]

Vous n'avez pas
de mont-blanc ?
ナヴェ パ ドゥ モン ブラン

Non désolée.
デゾレ
Nous n'avons
ヌ ナヴォン
plus de gâteaux
プリュ ドゥ ガトー
du jour…
デュ ジューる

信じられない…
このカフェには
女のひとしかいないぞ

☁ On peut dire aussi... ● こんなことも言えますね… [CD 52]

Il y a quelqu'un ?　(誰かいますか？→) ここ空いてますか？
ケル カン

　— Non, il n'y a personne.　(いいえ誰もいません→) はい、空いてます。

　— Oui, j'attends quelqu'un.　いいえ、連れを待ってます。
　　　　ジャトン

On peut emporter ces gâteaux ?　このケーキ持ち帰りできますか？
　　　オンポるテ

　— Oui, bien sûr !　ええ、もちろん大丈夫です。
　　　ビアン スューる

✿ Pratique ! ● コーヒーいろいろ

un café　　エスプレッソ。「カフェ」と頼んで普通に出てくるのがこれ。

un café noisette　　ちょっぴりミルクが入ったエスプレッソ。
　　　　ノワゼット

　　　　　　　　🦉 色が淡い褐色＝ヘーゼルナッツ（noisette）色なので、こう言われます。

un café au lait　　ミルクがたっぷり、大きなカップに入ったコーヒー。

un café crème　　文字通り訳せば「クリーム・コーヒー」。でも、見た目も味も café
　　　クれーム　　au lait と同じ。こっちの方がフランスではよく耳にします。

un café allongé　　日本でおなじみ、普通サイズの濃くないコーヒー
　　　アロンジェ

116

Colonne

21

フランスのカフェ

　朝から晩まで開いているカフェは、フランスではとても大切な存在。コーヒーや軽食だけでなく、バーも兼ねているので食事の前後に一杯飲んだり、昼間でもちょっと飲みたいときには実にありがたい存在です。

　ここでは一人でゆっくり新聞や本を読むもよし、コンピュータを持ち込んで仕事をするもよし、友達と話に夢中になってもよし。どっかの国のカフェのように、「勉強はしないでください」なんて、けちくさい張り紙は一切ありません。また昼間に圧倒的に女性しかいないことも、フランスではありえません（カフェはもともと男性が集まる場でした）。

　夏時間になって太陽が元気な姿を見せはじめると、人々は好んでテラスに出て、この貴重な日光を味わいながらカフェでくつろぎます。ですから、カフェのテラス席はしばしば割高。逆に、さっと一杯飲むだけなら、カウンターで立ち飲みすると安あがり。

　お勘定は気が向いたときにテーブルの上におきます。なかなか「ギャルソン」（カフェのボーイさん）が取りに来てくれなくても、焦らない、焦らない。おつりが不要なら、お金をテーブルにおいてお店を出て構いません。おつりが必要な時は、自分担当のギャルソンに「お勘定、お願いします」L'addition s'il vous plaît と言えば大丈夫。

　最近は、チップは義務的なものではなくなりました。でも、お釣りができたときに、ちょっとした小銭はそのままチップでおいて来てもいいでしょう。

À la pâtisserie japonaise

ア ラ パチスリ ジャポネーズ

······ 和菓子屋で買い物

Un peu de grammaire ちょっと文法

疑問詞 combien（英 how much, how many） 数量を尋ねる
コンビアン

> combien + de + 無冠詞名詞 * 　いくつの〜

　　　　　　　　　　　　　　　＊ 可算名詞のときは複数の s が必要！

(1)　尋ねたい数の部分を combien de で置き換える。

trois pommes 3つのリンゴ → combien de pommes いくつのリンゴ

(2)　combien de +名詞 を疑問詞として、通常の疑問文（→ scène 16）と同じように。

Combien de pommes voulez-vous ?

= Vous voulez combien de pommes ?

　　　いくつリンゴが欲しいですか？

　　　　　　　　est-ce que をつかう複合型は、文が重くなるのでここでは避けられるよ。

第二群規則動詞（ir 動詞）

フランス語で er 動詞の次に多い動詞が、原形が ir で終わる第二群規則動詞。

(CD 94)

ショワズィーる	
choisir	選ぶ
Je choisis	nous choisissons
tu choisis	vous choisissez
il/elle choisit	ils / elles choisissent

・**活用（現在形）** 単数のときは r を s - s - t で置き換えます。すべて発音は同じ。複数の時はいつもの動詞の活用語尾の前に ss を足したら、出来上がり！　choisir のほか、finir（「終える、終わる」）、réussir（「成功する、うまくいく」）などを覚えたいですね。
フィニーる
れユスィーる

ショワズィ choisis / choisit	ショワズィ세 choisissez
je choisis / tu choisis / il choisit / elle choisit	vous choisissez

　　　　　　- ir で終わる不規則動詞（→ p.79）と混同しないように、気をつけよう！

La clef ポイント ●値段をきく表現

値段をきくときにも combien をつかいます。倒置や複合型はなし。これだけ覚えましょう！

C'est combien ?　　それ、いくらですか？

Ça fait combien ?　　それで、いくらになりますか？（合計金額をきく）

22

119

Parlons en français

ディアローグの日本語を今度はフランス語で言ってみよう！　　CD 53

これいただきます。
おいくらですか？

ドゥ
C'est deux
サン　エン
cents* yens.

On ne peut
pas goûter ?

サ　ア　レーる　ボン
Ça a l'air bon ! Je ne
ショワズィーる
peux pas choisir !

★ 数字 → p.195

On peut dire aussi... ●こんなことも言えますね…　　CD 54

オフリーる
C'est un cadeau ? / C'est pour offrir ?　プレゼント用ですか？

Oui, c'est ça.　はい、そうです。

ブーる　モワ　　ブーる　シェ　モワ
Non, c'est pour moi / pour chez moi.　いいえ、自宅用です。

Pratique ! ●お菓子いろいろ

シュ　ア　ラ　クれーム
シュー・クリーム un chou à la crème　　マドゥレーヌ
マドレーヌ une madeleine

フィナンスィエ
フィナンシエ un financier　カヌレ（ボルドー名産の焼菓子）
キャヌレ
un cannelé

たるトゥ　タタン
タルト・タタン（リンゴのパイ）une tarte Tatin　マカホン
マカロン un macaron

フラン
フラン（焼きプリン）un flan　ラング・ド・シャ
ラング　ドゥ　シャ
une langue de chat

🦉 直訳すれば「猫の舌」。

120

22

びっくり日本式サービス

フランス人が日本に来てびっくりすることのひとつに、売り子さんの態度があげられるでしょう。最近ではフランスでもだいぶ従業員教育が進んできたと言いましょうか、マクドナルド的資本主義が進んできたと言いましょうか、高級店でなくても店員さんがにこやかにbonjourと客を迎えてくれることは増えました。

しかし、客も来ないのに絶え間なく「いらっしゃいませー、○○はいかがですかー」と声を張り上げ、買い物を終えて店を出る客の背中に、店中の店員が頭を下げながら圧倒的な「ありがとうございましたー!!」を浴びせかける、なんていうのはフランスでは考えられません。日本になじみのないフランス人なら、そのような光景に出会えばきっと、どこか気持ちのいい異国情緒のようなものを感じることでしょう。

客が列をなして待っていても、おしゃべりをやめずにのんびり仕事を片付けるフランス流の接客は、日本の旅行者には実に悪評の高いものでした。しかし、近頃日本でお買い物をしたフランス人の意見では、「日本のレジは時間がかかる」らしいのです。え？ 彼らのいい分は：日本のレジでは幾重にも厳重に（過剰に？）包装がなされ、ありとあらゆる（どうでもいい？）質問が外国人客を悩ませ…しまいには苛立たせるとか。「お得意さまカードをお持ちですか？」まではフランスでもよく耳にします（« Vous avez la carte de fidélité ? »）。しかし「紙袋に入れてよろしいですか？」、「保冷剤はいかがいたしますか？」、「ご自宅用ですか？プレゼント用ですか？」「プレゼントの包装はどれになさいますか？」「それに合わせるリボンの色は？」「ひとつにまとめて袋に入れてよろしいですか？」「一緒に小袋をおつけいたしますか？」…おそらく、フランス人はこう思うでしょう、「必要なら頼むから、ほっといてくれ」。

EXERCICES | *scènes 21-22*

Exercices d'oral キーフレーズを何度も発音して覚えよう！ (CD 55)

(1) 矢印の後は、音節を意識したキーフレーズです。発音されない字は小さくなっていますので、音節の切れ目（・）に注意して文を発音してみましょう。

Il n'y a que des femmes dans ce café.

→ il · n'y a · qu_e · de_s · femm_{es} · dan_s · c_e · ca · fé.

Je prends ça. C'est combien ?

→ j_e · pren_{ds} · ça / c'e_{st} · com · bien ?

(2) さあ、つぎはキーフレーズを CD と同時に発音（シャドーイング）できるようになるまで練習してみましょう。

Un peu de prononciation ちょっと発音 ● 鼻母音（その2）

鼻母音の続きです。« im »、« in »、« ym »、« yn »、« aim »、« ain » と綴られているときは、いずれも、日本語で書けば「アン」とするしかないのですが、「鼻母音（その1）」（→p.112）が、「オン」に近い音だとすると、こちらは「エン」に近い音です。

口を横に開いたら（[エ] の口の形）、その口を閉じずに鼻から抜くように「アン」と発音します。[ア] と [エ] の中間の音が聞こえてくるでしょう。

« im »、« in »、« aim »、« ain »：「アン」[ɛ̃]

pain パン

vin ワイン

incroyable 信じられない

それぞれの鼻母音の発音を区別するのはむずかしいと思われるかもしれませんが、ナポレオン曰く、« Impossible n'est pas français »「不可能という言葉はフランス語ではない」そうですから、自信を持っていきましょう。

次の質問に答えましょう

(1) 次の日本語に合うように文中の（　）に適切な語をいれて、いろいろな否定文をつくってみましょう。

a. Il n'y a (　　　　) de vin.　もうワインはないよ。
<small>ヴァン</small>

b. Cet homme n'écoute (　　　　) sa femme !
<small>セット　トム　　ネ　クットゥ</small>
　　　あの人は奥さんの言うことを絶対聞かない！

c. Il n'y a (　　　　) ?　誰かいませんか？

d. Je ne prends (　　　　) du café au petit déjeuner.
　　　朝食にはコーヒーしか飲まない。

> plus jamais rien personne que

(2) 次の文中の（　）に適切な語を入れて、疑問文を完成させましょう。

a. Vous êtes (　　　　) ?
　　　何名様ですか？　　🦉 レストランに行くと、まず店員さんにこう聞かれますね。

b. Il faut (　　　　) pour aller à Kobe ?
　　　神戸に行くのにどれくらい時間がかかる？

c. Vous prenez (　　　　) ?
　　　（野菜などを買いにいって）何キロお入り用ですか？

> combien de kilos combien de temps combien

(3) （　）内の動詞を正しく活用させて、文を完成させましょう。

a. Qu'est-ce que tu (　　　　) comme boisson ? (choisir)
<small>コム　　ボワッソン</small>
　　　飲み物は何にするの？

b. Tu peux (　　　　) ce plat ? (finir)
　　　この料理、（食べ）終わってくれる？

c. Ce plat (　　　　) toujours. (réussir)
　　　このお料理は、いつでもうまくいくわ。

Visite des temples

ヴィズィットゥ　デ　トンプル

·········· お寺巡り

ただじゃ
ないんだ…

カードで
払える？

メ　ノン
Mais non !
イル　フォ　ペイエ　オン　ネスペス
Il faut payer en espèces* !

* en espèces「現金で」

Un peu de grammaire　ちょっと文法

😺 非人称動詞 falloir　～しなければならない、～が必要だ
（ファロワール）

« il faut ～ » という形で用います。この il は《非人称の il》といい、特定のものではな
（イル フォ）
く、漠然とその場の状況を指し示します。英語で時間や天気を表すときに用いる it と
同じです。ほかの人称代名詞とは用いられないため、現在形の活用は « il faut ～ » し
かありません。

・用法

> (1) il faut ＋ 動詞の原形　「～しなければならない、しないといけない」
>
> ### Il faut payer en espèces !　現金で払わないと！
>
> 否定文にすると... il ne faut pas ～ 「～してはいけない」
> 　　　　　　　　（イル ヌ フォ パ）
>
> ボワール トゥ レ ソワール
> ### Il ne faut pas boire tous les soirs.
>
> 　　毎晩飲んじゃいけないよ。
>
> (2) il faut ＋ 名詞　「～が必要だ、（時間が）かかる」
>
> デ ズー
> ### Il faut des œufs pour faire du gâteau.
>
> 　　ケーキを作るのに卵が必要だわ。
>
> « il faut ＋時間＋ pour ～ »　「～するのに（時間）がかかる」
>
> ディ ミニュトゥ ア ラ ギャール
> ### Il faut dix minutes pour aller à la gare.
>
> 　　駅に行くのに 10 分かかる。

La clef 😺 ポイント　●知っておくと便利な文法事項の略号

辞書の falloir を見ると、うしろに inf. を取ると記されています。これは不定法
infinitif（＝動詞の原形）を省略した形です。他の記号も覚えて辞書を使いこなそう。

ノン　　マスキュラン
n.m. ＝ nom masculin　男性名詞

ブリュリエル
pl. ＝ pluriel　複数形

コンディショネル
cond. ＝ conditionnel　条件法

スュブジョンクティフ
subj. ＝ subjonctif　接続法

フェミナン
n.f. ＝ nom féminin　女性名詞

アンディカティフ
ind. ＝ indicatif　直説法

アンフィニティフ
inf. ＝ infinitif　不定法＝動詞の原形

Parlons en français

ディアローグの日本語を今度はフランス語で言ってみよう！　CD 56

Ce n'est pas gratuit… (グらテュイ)

On peut payer par carte ? (オン プ ペイエ / パーる キャるトゥ)

だめよ！
現金で払わないといけないわ！

🌥 **On peut dire aussi…**　●こんなことも言えますね…　CD 57

En France, la visite des églises n'est pas payante.
(デ ゼグリーズ / ペイアントゥ)

フランスでは教会を訪れるのは有料じゃないよ。

Il faut enlever tes chaussures avant d'entrer.
(オンルヴェ / ショスューる / アヴァン / ダントレ)

中に入る前に靴を脱がないと。

❀ **Pratique !**　●プレイガイドの言葉

チケット　**un billet**　アクセス、行き方　**l'accès** 男 (ラクセ)　入口　**l'entrée** 女 (ラントれ)

料金　**un tarif** (タリフ)　通常料金　**un plein tarif** (プラン)　割引料金　**un tarif réduit** (れデュイ)

ガイド付きツアー　**une visite guidée** (ヴィズィットゥ / ギデ)　音声ガイド　**un audio-guide** (ア / ノーディオ / ギドゥ)

126

23

フランスではカードはどこまで使える？

　ディアローグでお寺の入館料をカードで支払おうとしたリュックですが、それもそのはずフランスではほとんどの観光地は、どんなに歴史的な場所であってもカードで支払うことができます。それは世界各国から観光客が押し寄せるフランスのこと、特にユーロ導入以前には、他国の通貨と間違う心配もありましたし、偽札の怖れや、現金を持ち歩くよりは安心という理由でカードが普及しています。フランスの「カルト・ブルー」une carte bleueとよばれるデビッド・カード（数日後に銀行口座から金額が引き落とされるシステム）さえあれば、買い物からカフェ、レストランでの食事など、何不自由なく生活することができます。

　ではカードが使えない時はあるのでしょうか？バスの車内で切符を買う時や、通信設備がなさそうな露天や屋台ではカードが使えませんが、基本的にたいていどこでも使えます。ただし最低金額が決められていることもあります。例えばスーパーならお店によって10ユーロか15ユーロ以上ならカードが使えるというような貼り紙がしてあります。カフェやパン屋など、比較的小額の利用ならまずカードでの支払は受け入れられないでしょう。ただし最近ではデイリー・モノップ Daily Monop'（スーパーのモノプリ Monoprixのコンビニ版。ただし24時間営業ではありません）のように、1ユーロからカードOKのお店も増えてきているようです。

アラ　スュペれットゥ
À la supérette

コンビニにて

Un peu de grammaire ちょっと文法

😺 **時間を言う**：時間を表すには « il est … heure(s) » 「今～時です」と、天気と
同様に非人称の il を用います。

Quelle* heure est-il ? 「何時ですか？」 * quelle → scène 26 疑問形容詞

 Il est une heure.   deux heures dix.

時間を表すときには、こんな表現もよく使います。

quart：4分の1	→	et quart ＝ ＋15分
demi(e)：半分	→	et demie ＝ ＋30分
moins：－（マイナス）	→	moins le quart ＝ － 15分
du matin：午前		du soir：午後
midi：正午（午後12時）		minuit：真夜中（午前0時）

Il est trois heures et quart.   3時15分です。
quatre heures et demie.   4時半
cinq heures moins dix.   5時10分前
six heures moins le quart.   6時15分前

🦉 24時間表記で言う場合は、demie や quart は使わないよ。

Il est neuf heures du matin / du soir.   午前 ／ 午後9時
Il est midi. / Il est minuit.

La clef 😺 ポイント ●前置詞 de と冠詞 le, les の縮約 ／ 冠詞の縮約（2）

Scène19（→ p.105）で前置詞 à の後ろに定冠詞 le, les が来たときと同じように、
前置詞 de のあとに定冠詞 le, les が来るとそれをひとまとめに（縮約）にしてしまいます。

de ＋ le → du   de ＋ les → des

Il est neuf heures du matin. (de ＋ le matin)   午前9時です。
Il vient des Etats-Unis. (de ＋ les Etats-Unis)   彼はアメリカから来た。

Parlons en français

ディアローグの日本語を今度はフランス語で言ってみよう！　　(CD 58)

もう真夜中だよ！

メ　セットゥ
Mais cette
スュペレットゥ　エ
supérette est
トンコーる　ウーヴェるトゥ
encore ouverte ?

エ　レトゥーヴェるトゥ
Elle est ouverte
ヴァンキャトるーる　シューる　ヴァンキャトる
24 heures sur 24.

ジュ　ヴェ　れショフェ
Je vais réchauffer
ス　ベントー
ce bento ?

🌧 **On peut dire aussi...**　●こんなことも言えますね…　　(CD 59)

トゥ　　トゥるヴェ
Ici, on peut tout trouver !　ここはなんでも見つかるね。

Vous voulez des baguettes ?　お箸はいりますか？

🌸 **Pratique !**　●買い物、スーパーで用いる言葉

カート　シャリオ
un chariot　　カゴ　バニエ un panier　　ビニールの袋 サック　プラスティック un sac plastique

レジ　ケス la caisse　　棚、売り場 れイヨン le rayon　　冷凍食品 スュるジュレ le surgelé

食料品 ラリモンタスィオン l'alimentation　　特売 オン　ブロモスィオン en promotion　　割引 れデュクスィオン la réduction

130

24

フランスのスーパー

　海外に行って、覗いてみたい場所のひとつがスーパー le
supermarché。観光地ではわからないその国の人々の暮らしぶりが
見えてくる、おもしろいスポットですよね。

　フランスで野菜や果物は、量り売り。自分の欲しい量だけ取れるので、とっても便利。お店の人がそばにいて重さを量り、値段シールをつけてくれることもありますが、自分で量らなければいけないところもあります。うっかり量り忘れてレジまで行ってしまうと、後ろにたくさん人が並んでいても、あわてて野菜売り場に駆け戻って量る羽目に。

　フランスのスーパーに行くと、日本のスーパーでは必ず見かけるあるものがないことに気がつきます。あるものとは、透明なビニール袋。日本でもスーパーの袋は有料で、マイバック持参を奨励するスタイルが主流になってきましたが、フランスはこのエコ・スタイルをもう一歩進めて、2016年7月から使い捨てのビニール袋は、野菜や果物を入れる透明なものも含めて、有料でも禁止になりました。なるほど、街のパン屋さんでも徹底して紙の袋だけです。大手のスーパーでは独自のデザインのマイバックをレジの脇でお安く売っています。かわいいデザインのものなら、お手軽なおみやげにもなりそうですよ。

　スーパーはだいたい20時までは開いており、特にパリでは22時や24時まで開いているところもあります。だた今でも日曜日は大半のスーパーが閉まっていますから、フランス（とくに地方都市）に週末に到着する方は、その辺りには気をつけて。

これはフランス語だと「リュック」じゃなくて、サック sac だな。

EXERCICES | *scènes 23-24*

Exercices d'oral キーフレーズを何度も発音して覚えよう！   CD 60

(1) 矢印の後は、音節を意識したキーフレーズです。発音されない字は小さくなっていますので、音節の切れ目（・）に注意して文を発音してみましょう。

Il faut payer en espèces.

→ il · fau~t~ · pa[i] · ye~r~ · en · (n)es · pèc~es~.

Il est presque minuit.

→ i · l e~st~ · presqu~e~ · mi · nui~t~.

(2) さあ、つぎはキーフレーズを CD と同時に発音（シャドーイング）できるようになるまで練習してみましょう。

Un peu de prononciation ちょっと発音 ● 半母音

payer や minuit のように «i, y＋発音される母音»，«u＋発音される母音» の時の発音を半母音（または半子音）といいます。このとき «i»、«y» や «u» は後ろの母音と一緒になって、ひとつの音節となります。たとえば minuit は mi · nu · it「ミ・ニュ・イ」と三音節ではなく、mi · nuit「ミ・ニュイ」と二音節に分けられます。

«i, y＋発音される母音»：

janvier 1月   **étudier** 勉強する   **station** 駅

«u＋発音される母音»：

fruit フルーツ   **actuel** 現在の   **pluie** 雨

132

Exercices d'écrit 次の質問に答えましょう

(1) それぞれの日本語に合うように下からフランス語の表現を選び、書きましょう。

a. : Il faut ( )

今晩はこの野球の試合を見なきゃいかんな。

b. : Il faut ( )

お洗濯しないといけないわ。

c. : Il faut ( )

新しいお菓子のレシピ考えなきゃ。

d. : Il faut ( )

日本で働くために日本語を勉強しないと。

· apprendre* le japonais pour travailler au Japon.
アプロンドる

· inventer une nouvelle recette de gâteau.
アンヴォンテ　　　　　　　　　　　るセットゥ

· faire la lessive.
レスィーヴ

· regarder ce match de baseball ce soir.

　　　　　　＊ apprendre「学ぶ、習う」。活用は prendre p.113 と同じです。

(2) 次の文中の下線部を適切な形に直しましょう。

a. J'adore le café <u>à le</u> lait. → ( )

私はカフェ・オ・レが大好きなの。

b. C'est une tarte <u>à les</u> pommes. → ( )

これはリンゴのタルトです。

c. C'est Luc, ami <u>de les</u> Yoshida*. → ( )

あれはリュック、吉田さんところのお友達よ。

　　　　　　＊一家をあらわすときは複数定冠詞 les ＋名字（単数）であらわします。

d. Quel est le plat <u>de le</u> jour ? → ( )

今日のオススメ料理はなんですか？

133

On va voir les cerisiers en fleur !

お花見に行こう！

じゃあ、
お花見のお弁当を
作るわ！

ドゥマン　　オン　ヴァ
Demain, on va
ヴォワーる　レ　　スリズィエ
voir les cerisiers
オン　フルーる
en fleurs !

オアナミ？

ピクニックも
するんだよ。

Un peu de grammaire　ちょっと文法

近い未来の表現

　動詞aller「行く」(→scène 19) を使って、近い未来を表すことができます。フランス語にも、もちろん未来形はありますが、ある程度確定した近い未来の事柄について言う場合は、この表現が日常的によく用いられます。

> aller + 動詞の原形　　これから〜する、〜するつもりだ

On va faire des courses ?
クルス
これから買い物しない？

Le match de baseball va commencer dans cinq minutes.
コモンセ

野球の試合は5分後に始まります。

Tu vas partir à quelle heure ?
何時に出かけるの？

不規則動詞 voir（英 see）　〜を目にする、見る、〜に会う

・活用

vois / voit ヴォワ	voyez ヴォワイエ
je vois / tu vois / il voit / elle voit	vous voyez

* voir の活用 → p.137

・用法

　「(意識的に) 見る」regarder に対して、voir は「(自然と) 目に入ってくる」「(全体
ふギャルデ
的に) 見る」という意味です。また英語の see と同じように、「分かる」という意味でも用いられます。目的語に人がくると「(人に) 会う」という意味で使います。

On va voir ce film ?
この映画見ようか？

Tu vois ? − Oui, je vois.
分かる？ — うん、分かってるよ。

Je vois Satoshi après-demain.
アプれ　　ドゥマン
明後日、サトシに会います。

La clef　ポイント　●「近い未来」っていつまで？

　近い未来の表現とはいっても時間的にいつまでと決まっているわけではありません。数年後など長いスパンの未来でも使えます。時間的というよりも確実性の高い心理的な近さを表します。

Parlons en français

ディアローグの日本語を今度はフランス語で言ってみよう！　　[CD 61]

（吹き出し）明日、桜の花を見に行きましょうよ。

アローる ジュ ヴェ
Alors je vais
プれパれ　　デ
préparer des
ベントー
bentos pour
ohanami !

O-A-Na-Mi ?

オン フェ オッスィ
On fait aussi
アン　ピク　　ニーク
un pique-nique.

🌸 **On peut dire aussi...**　●こんなことも言えますね…　　[CD 62]

Maman, je veux des *karaagés* dans le bento !

お弁当に唐揚げ入れてほしいな！

Qu'est-ce qu'il y a dans ces *onigiris*** ?　このおにぎり何が入ってるの？

パ　ドゥ
Pas de *umeboshi*, s'il te plaît !　梅干しはいれないでね。

* 「おにぎり」はフランス語では une boule de riz japonaise（日本のライス・ボール）と訳されます。
　外来語ではリエゾンやエリズィオンをしないことがよくあります。

🌸 **Pratique !**　●時の表現（未来）

明日　ドゥマン
demain　　明後日　après-demain

来週　スメーヌ　　　プろシェーヌ
la semaine prochaine　　来月　モワ　　プろシャン
le mois prochain

来年　ラ　ネ
l'année prochaine　　次の週末　ウィーケンド
le week-end prochain

（今から）～後　ドン
dans ～　　3日後　dans trois jours　　1週間後　ユイ　ジューる
dans huit jours*

* フランスでは、1週間は日曜日から日曜日まで数えるので8日間。2週間は15日間と数えます。

136

25

お花見と紅葉狩り

　日本人にとってはなじみ深い季節の行事、お花見と紅葉狩り。フランスでも、お花見や紅葉狩りをするのでしょうか？

　淡い色の桜（ソメイヨシノ）はなくとも、3月も後半になれば鮮やかな芝生の緑を背景に、色とりどりの花が庭園にあらわれ、フランスに春の訪れを告げます。しかし、それらの花々を愛でつつのピクニック（＝お花見）という発想はフランス人にはないようです。彼らにとって、ピクニックは基本的にもっと日が長くなってからする夏の行事だからでしょう。

　枯れゆく前に色づいた木々を愛でようという紅葉狩りの感性は、お花見以上にフランスとは縁がないようです。フランスの夏の盛りは8月ではなく、むしろ7月。8月も20日を過ぎると朝晩ぐっと涼しくなり、残暑もないままモードは一気に秋。街路樹も一斉に葉を落としはじめてしまいます。ですから、秋のフランスの木々のイメージは、赤や黄色に色づいた葉ではなく、寂しげな枯れ枝です。日本では春と並んで好まれる季節である秋は、フランスではむしろ嫌われ者。楽しかったバカンスが終わり、急に日差しが短くなって冷え込み、雨もパラパラ…と、どこか陰気な秋を好むフランス人はまずいません。

　ではお花見という行事をなんとかフランス語で伝えてみましょう。

　お花見＝「花が咲いている桜の木の下でピクニックをする」

　　→　On fait un pique-nique sous les cerisiers en fleurs.

「桜の木」は cerisier、この木が花で覆われた状態は en fleurs で表します。
「ピクニック」は un pique-nique （もとはフランスからきた言葉）。

CD 94	voir　〜を見る	
je vois	nous voyons
tu vois	vous voyez
il voit	il voient
elle voit	elle voient

La saison des pluies…

ラ　セゾン　デ　プリュイ

.... 梅雨

今日もどんより、空気はジメジメ。今にも雨がふりそう…　大好きな仕事に行くにも
リュックは力が入りません…

イル　フェ　ユミドゥ
Il fait humide, humide, humide…

傘持っていかなきゃ！
午後から雨よ。

準備できた？

タクシー
呼んだわよ！

Un peu de grammaire ちょっと文法

天気の表現：Quel temps fait-il ？「どんな天気？」
（ケル　トン　フェ チル）

天気を表すときは、時間の表現と同様に、非人称の il を用います（→scène 24）。pleuvoir（プルヴワール）
「雨が降る」、neiger（ネジェ）「雪が降る」など特別な動詞がある場合をのぞいては、faire を用います。

Il pleut.（イル ブル）　雨が降っている　　　　**Il neige.**（イル ネージュ）　雪が降っている

Il fait beau.（イル フェ ボ）　天気がいい　⇔　**Il fait mauvais.**（モーヴェ）　天気が悪い

Il fait chaud.（ショ）　暑い　⇔　**Il fait froid.**（フロワ）　寒い

Il fait nuageux.（ニュアジュー）　曇っている　　**Il fait humide.**（ユミドゥ）　じめじめしている

Il fait bon.（ボン）　心地よい　　**Il fait frais.**（フレ）　涼しい

🐾 近い過去の表現

フランス語にもいくつか過去形はありますが（→ scène 27, 28, 30）、終えたばかりの「近い過去」を表す場合は、動詞 venir（→ scène 20）を用います。

> venir de ＋ 動詞の原形　（たった今）〜したところだ。

「近い未来」の « aller ＋ 動詞の原形 » と違い、前置詞の de が必要です。

Je viens de déjeuner.（ジュ ヴィアン ドゥ デジュネ）　昼食を食べたところだ。

Il vient de rentrer.（イル ヴィアン ドゥ ロントれ）　彼は帰ってきたばかりだ。

La clef 🐱 ポイント ● 疑問形容詞 quel（ケル）「どんな〜」

quel は形容詞と同じようにかかる名詞の性数に合わせて形が変化します。

	単数	複数
男性	quel（ケル）	quels（ケル）
女性	quelle（ケル）	quelles（ケル）

Quel est votre numéro de portable?　あなたの携帯番号は何ですか？

（numéro 番号＝男性名詞単数 → quel）

Quelle heure est-il ？　今、何時ですか？

（heure 時間＝女性名詞単数 → quelle）

Parlons en français

ディアローグの日本語を今度はフランス語で言ってみよう！　　CD 63

イル フォ　ブろんドる
Il faut prendre
アン　パらブリュイ
un parapluie !
イル ヴァ プるヴォワーる
Il va pleuvoir
セッタプれ　ミディ
cet après-midi.

ジメジメ、
ジメジメ、
ジメジメ…

テュ エ　プれ
Tu es prêt ?

ジュ ヴィアン　ダプレ
Je viens d'appeler
アン タクスィ
un taxi !

☁ **On peut dire aussi...** ●こんなことも言えますね…　　CD 64

メテオ
Quelle est la **météo** pour aujourd'hui ? 　今日の天気予報はどんな？

La saison des pluies va finir la semaine prochaine.
　　　　来週には梅雨が明けるわよ。

❀ **Pratique !** ●季節、月を表わす言葉

　　　　　　プらントン　　　　　　　　レテ　　　　　　　　　　ロートンヌ　　　　　　　　　リヴェーる
　春　le printemps　夏　l'été　秋　l'automne　冬　l'hiver

　　　　ジョンヴィエ　　　　　　　フェヴリエ　　　　　　　マふス　　　　　　　アヴリル
　1月　janvier　2月　février　3月　mars　4月　avril

　　　　メ　　　　　　　ジュアン　　　　　　ジュイエ　　　　　　　ウートゥ
　5月　mai　6月　juin　7月　juillet　8月　août

　　　　セプトンブる　　　　　　　　オクトブる　　　　　　　　　ノヴォンブる
　9月　septembre　10月　octobre　11月　novembre

　　　　デソンブる
　12月　décembre

26
フランス人は傘をささない？

ジメジメする梅雨のシーズン、日本ではそんな天気に負けじと、じつにカラフルな傘が街中にあふれています。そして長い梅雨が終れば、今度はこれまた可愛いパラソルが街を埋めつくします。日本の傘文化はきっとフランス人にとって驚きのひとつでしょう。

日本のしとしとと降り続く雨と違って、フランスの雨はとても軽く、通り雨がほとんど。たしかに日本ほど雨傘を必要としません。ひどい降りなることもありますが、そんな時はみんなどこかの軒先に立ち止まって雨宿り。しばらくすると、たいていそこそこ小降りになるので、フードがついた上着を着ていればフードをかぶり、なければ何もないで気にもせずに立ち去っていきます。というわけでフランスでは日本のようにカラフルでおしゃれな傘は見かけません。街で見かける少数派の傘もだいたい黒で、骨が一カ所どころか二カ所折れているものや、傘布に張りがなくてダブダブとあおっているようなお粗末な傘ばかり。

また太陽大好き人間フランス人にとって、身体を小麦色に焼いてくれる日差しを遮ってしまう帽子やパラソルなんて、まったく想定外。きれいに日焼けをするクリームはたくさんあっても、日焼け止めはなかなか売っていません。とにかく肌を焼くのが大好きな彼らは、海はもちろん、セーヌ河岸だろうが、公園だろうが、お天気さえ良ければ、バカンスも待たずに肌を焼きはじめます。というわけで、肌の焼き過ぎから皮膚がんになる人も多く、ようやくここ数年、ニュースで肌の焼き過ぎに注意を呼びかけるようになりました。でも、フランス人にとって小麦色の肌は、素晴らしいバカンスを過ごしたことを裏付けるステータス。これを諦めるの、なかなかどうして、難しいんですねぇ。

キーフレーズを何度も発音して覚えよう！　CD 65

⑴　矢印の後は、音節を意識したキーフレーズです。発音されない字は小さくなっていますので、音節の切れ目（・）に注意して文を発音してみましょう。

On va voir les cerisiers en fleurs !

→ on・va・voir・le_s・ce・ri・sie_rs・en・fleur_s !

Il fait humide.

→ il・fai_t・_hu・mid_e.

⑵　さあ、つぎはキーフレーズを CD と同時に発音（シャドーイング）できるようになるまで練習してみましょう。

Un peu de prononciation　ちょっと発音 ●s の発音

子音 « s » は、母音にどう挟まれるかで「サ行」と「ザ行」の２通りの発音にわかれます。

| サ行 | « s » ＋ 母音（普通の形） | s̲alut やあ、 s̲oir 夕方、晩 |

母音 ＋ « ss » ＋母音　pâtis̲s̲ier パティシエ、poiss̲on 魚

des̲s̲ert デザート

| ザ行 | 母音 ＋ « s » ＋ 母音 → | mais̲on 家、ceris̲ier 桜 |

　この規則を忘れると、おいしい「魚」poisson（ポワッソン）は一歩間違えたら、恐ろしい「毒」poison（ポワゾン）になってしまいますし、わたしたちが「デザート」と呼んでいるあまーいお菓子、うっかりフランス語でも「デゼール」と濁ってしまうと、なんとも味気ない「砂漠」désert に早変わりしてしまうので、ご用心！

Exercices d'écrit 次の質問に答えましょう

(1) 次の文を例にならい、近い未来（aller ＋動詞の原形）と近い過去（venir de ＋動詞の原形）の表現に変えてみましょう。

例．Tu manges du gâteau ?

　　おかし食べる？

→ 近い未来　Tu vas manger du gâteau ?

　　　　　　（これから）おかし食べる？

→ 近い過去　Tu viens de manger du gâteau, ?

　　　　　　おかし食べたところ？

a. Maman prépare le dîner.　　ママは夕食の準備をしている。
（プれパーる）

b. Vous prenez un bain ?　　あなたたちお風呂に入る？

c. Satoshi sort avec ses amis.　　サトシは友達と一緒に出かける。
（ソーる）

(2) （　）内の quel を適切な形にして入れてみましょう（そのままでいい時もあります）。

a. （　　　　）est votre profession ?　　あなたの職業は何ですか？
（プろフェッシょン）

b. Tu fais （　　　）sport ?　　どんなスポーツする？

c. （　　　　）saison aimez-vous ?　　どの季節が好きですか？

d. Tu préfères （　　　）cuisine ?　　何料理がいい？

(3) 例にならって、それぞれの場所の天気を言ってみましょう。

例．Quel temps fait-il aujourd'hui ?　──　Il neige à Sapporo.

　　今日はどんな天気ですか？　　　　　　Sapporo.

a. Tokyo　　b. Nagoya　　c. Kyoto　　d. Fukuoka

Emmène-moi au match de baseball !

オンメーヌ モワ オ マッチュ ドゥ

ベズボル

…………… 私を野球に連れてって！

お父さん、熱くなってますねぇ…

行け！ そうだ！
行けー、タイガース!!

よ〜ぉし!!

?

ちょっと、
落ちついてよ、
おとうさん！

Alors,
オ ナ ガニェ
on a gagné ?

Un peu de grammaire ちょっと文法

😺 **複合過去（1）　現在の時点で完了した事柄や経験を表す表現**

・複合過去の作り方

> 複合過去＝助動詞（avoir か être）＋ 過去分詞

　助動詞 être を使うのは「行く」など限られた場合のみ（→ scène 28）。それ以外の動詞は助動詞に avoir を用います。助動詞を活用させ、後ろに動詞の過去分詞をつけますが、これは基本的に同じ形です。

CD 95

ジェ j'ai		ヌ　ザヴォン nous avons	
テュ　ア tu as	ふギャるデ regardé	ヴ　ザヴェ vous avez	ふギャるデ regardé
イ　ラ il a		イル　ゾン ils ont	
エ　ラ elle a		エル　ゾン elles ont	

アシュテ
J'ai acheté des billets du match de baseball.

　　野球の試合のチケット買ったよ。（完了）

デジャ　フェ
Tu as déjà fait du baseball ? 野球やったことある？（経験）

La clef 👀 ポイント ● 過去分詞の作り方

　過去分詞は、最後が « é »「エ」、« i »「イ」、« u »「ユ」になるものがほとんどです。

「-er」で終わる動詞すべて→ é（発音は原形と同じく「エ」で終わります）

　　（例：regarder → regardé　aller → allé　gagner → gagné）
　　　　ふギャるデ　　ふギャるデ　　アレ　アレ　　ガニェ　ガニェ

「-ir」で終わる大半の動詞　→ i（発音は「イ」で終わります）

　　（例：choisir → choisi　partir → parti　finir → fini）
　　　　ショワズィ　ショワズィ　パるティ　パるティ　フィニ　フィニ

「-dre」「-oir」などで終わる動詞　→ u

　　（例：attendre → attendu　voir → vu）
　　　　アトンドる　アトンデュ　ヴュ

特殊な変化をする過去分詞形

　　être → été　avoir → eu　prendre → pris　faire → fait　など。
　　エテ　エテ　　ユ　　ブリ　　フェ

145

ディアローグの日本語を今度はフランス語で言ってみよう！

CD 66

> アレ
> Allez !! Oui !
> Allez les *Tigers* !!!

> ？

> エ　カルム　トワ
> Hé, calme-toi,
> Papa !

> ねぇ、
> 勝ったの？

☁ **On peut dire aussi...** ●こんなことも言えますね…　　　CD 67

オ ナ べるデュ　　　　　セ　マッチュ　ニュル
On a gagné. ⇔ On a perdu*. / C'est match nul.

　勝った。　　　　　　　負けた。　　　　　　　引き分けだ。

ヴィットゥ　　　　　　　　　　　コモンセ
Vite ! Le match a déjà commencé** !

　いそいで！ もう試合始まってるよ！

* perdu → prendre「失う」「負ける」の過去分詞

** commencé → commencer「始める」の過去分詞

✿ **Pratique !** ●スポーツ観戦でいいそうなひと言

　　　　　　ユピー
やったー！ Youpi !♠　　あらあら！おやまあ！ Oh là là !

　　　ズュットゥ　　　　　　　　メるドゥ
ちぇっ！ Zut !♠　　くそっ！ Merde !♠

　　　タ　グル　　　　　　　　　　　　　　　　カス　トワ
だまれ！ Ta gueule !♠♠　　ひっこめ！うせろ！ Casse-toi !♠♠

　　　　フォふミダーブル　　　　　　　スュペーる　　　　　　　　　ジェニアル
すばらしい！ Formidable !　　すごい！ Super !　　すごい！ Génial !

27

フランスの野球事情

　フランスで人気のスポーツと言えば、なんといってもサッカー。では日本の国民的スポーツ、野球は？

　もちろん、フランスにも野球はあります！ フランス野球・ソフトボール協会（**FFBS**）によれば、フランス国内に**215**のクラブチームがあり、競技人口は**12,675**人（ライセンス保持者）（**2016**年度）。国内トップリーグのエリート・リーグには**8**球団が所属し、全**28**試合でリーグ戦が行われています。**2007**年にジョリス・ベールがロサンジェルス・ドジャースにドラフト指名されるなど、競技人口は少ないながらも、少しずつレベルは上がってきているようです。でもやっぱりフランスでは、野球のルールはもちろん、野球の試合すら見たことすらない人がほとんどでしょう。

　元阪神タイガース監督、「ムッシュー」こと吉田義男氏は、**1989**年から**1996**年フランス代表監督を務めていました。その業績を称えられて、彼はフランス野球・ソフトボール協会（**FFBS**）の名誉会員に選出され、年に**1**回はフランスを訪れていたそうです。

　ちなみにフランス語でピッチャーは le lanceur（ランスーる）、キャッチャーは le receveur（るスヴーる）、バッターは le frappeur（フらップゥーる）。ヒットは le coup sûr（ク スゥール）、ホームランは le circuit（スィるキュイ）、盗塁は le base volée（バーズ ヴォレ）。言葉が違うだけで、全く別のスポーツみたいですね。

年末（fin d'année）（ファン ダネ）には、リュックも阪神のファンだね！ へへへ

Scène 28 Le théâtre *Bunraku*

文楽

148

Un peu de grammaire ちょっと文法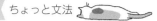

🐾 複合過去（2）助動詞に être を用いる複合過去

aller「行く」や venir「来る」などの移動や devenir「〜になる」など状態の変化を表す動詞は、助動詞 être とともに複合過去形を作ります。過去分詞の形に注意！

28

je suis	allé(e)	nous sommes	allé(e)s	
tu es	allé(e)	vous êtes	allé(e)(s)	
il est	allé	ils sont	allés	
elle est	allée	elles sont	allées	

(CD 95)

🦉 助動詞 être と過去分詞 allé(e)(s) は読む時にリエゾンするよ。

・être を用いる主な動詞

移動を表す動詞

aller 行く　　**venir** 来る　　**partir** 出発する　　**arriver** 着く

entrer 入る　　**sortir** 出る　　**rentrer** 帰る

状態の変化を表す動詞

ネートる
naître 生まれる　　ムーリーる **mourir** 死ぬ　　ドゥヴニーる **devenir** 〜になる

イ　レ　パふチ　ト
Il est parti très tôt ce matin.　　彼は今朝早く出発した。

ほんトれ　　　　　　　ル　モワ　デるニエ
Miho est rentrée au Japon le mois dernier.

ミホは先月日本に帰ってきた。

La clef 😺 ポイント ● 過去分詞の性数一致

être を用いる複合過去では、過去分詞を形容詞のように主語に性数一致させます。

エ　レ　タ　りヴェ　イエーる
Elle est arrivée hier soir.　　彼女は昨日の夜着いた。

ただし avoir の後の過去分詞も性数一致させることがあります。動詞の後の直接目的語が代名詞に代わって動詞の前にくる場合（→ scène 32）などです。

C'est ta nouvelle voiture ?　　これ君の新しい車？

レ　　ラ　スメーヌ　デるニエーる
– Oui, je l'ai achetée la semaine dernière.　　うん、先週買ったんだ。

（l' = la = ta nouvelle voiture）

149

▚ Parlons en français ▚

ディアローグの日本語を今度はフランス語で言ってみよう！ CD 68

Alors, c'était* comment, le Bunraku ?

今、帰ったわ。

Oh, magnifique !

* était =être の半過去形 → scène 30

🌥 **On peut dire aussi...** ●こんなことも言えますね… CD 69

Tu as compris* le dialogue ? セリフ、わかった？

*compris → comprendre 「理解する」の過去分詞。活用は prendre (p.113) を参照。

Il y a des sous-titres anglais. 英語の字幕があるよ。

🌸 **Pratique !** ●時の表現（過去）

昨日 hier おととい avant-hier

先週 la semaine dernière 先月 le mois dernier

去年 l'année dernière 先週末 le week-end dernier

…前 il y a... １週間前 il y a huit jours

…前から、…以来 depuis...

150

フランス語で落語？

　美術の世界ではモネやゴッホといった印象派の画家たちが日本の浮世絵などの工芸品に影響を受けていたことは、つとに知られています。現代では日本文化といえばマンガやアニメーションを思い描くフランス人も多いでしょうが、歌舞伎や能といった日本の伝統芸能に関心を示す人も増えています。パリの日本文化会館で開催される日本の文化や伝統芸能を紹介するイベントには、フランスで暮らす日本人だけでなく、多くのフランス人が足を運んでいます。ここで2012年、桂文枝さんが六代目襲名披露を行ったのはまだ記憶に新しいところ。歌舞伎や能、文楽に比べてフランス人になじみの薄い落語にも関わらず、観客の４割はフランス人だったそうです。

　たんに観客として日本の伝統芸能を味わうだけでなく、その世界に足を踏み入れたフランス人もいます。ステファン・フェランデス Stéphane Ferrandez 氏とシリル・コピーニ Cyril Coppini 氏です。フェランデス氏はフランス語で、コピーニ氏は日本語で、とスタイルの違いはありますが、日本国内はもちろん、落語の公演会を行い、落語を通じて日本の笑い humour zen をフランス語圏に広く伝える活動をしています。2014年には、毎年7月に行われる世界最大の演劇祭「アヴィニョン演劇祭」で、彼らと三遊亭竜楽氏、林家染太氏の４人で「アヴィニョン演劇祭寄席」も開催されたそうです。勤勉で真面目という日本人のイメージも少しは変わるかもしれませんね。

Exercices d'oral　キーフレーズを何度も発音して覚えよう！　　　CD 70

(1) 矢印の後は、音節を意識したキーフレーズです。発音されない字は小さくなっていますので、音節の切れ目（・）に注意して文を発音してみましょう。

On a gagné ?　→　o・n a・ga・gné ?

On est rentrés.　→　o・n est・ren・trés.

(2) さあ、つぎはキーフレーズを **CD** と同時に発音（シャドーイング）できるようになるまで練習してみましょう。

Un peu de prononciation　ちょっと発音 ● g, gn の発音

« g » は後ろに « a/o/u » が来ると [g] の音、« e/i » が来ると [ʒ] の音になります。

ga [ギャ] **garçon** 男の子　　go [ゴ] **gothique** ゴシック様式の

gu [ギュ] **ambigu** あいまいな

ge [ジュ] **fromage** チーズ　　gi [ジ] **gilet** ベスト、チョッキ

« gn » の綴りになると、「ニャ、ニュ、ニョ」と発音されます。Dom Pierre Pérignon ドン・ピエール・ペリニョン神父（「ドン・ペリ」で有名ですね）がその製法を確立したシャンパンはフランス語では champagne「シャンパーニュ」と発音します。

montagne 山　　**agneau** 仔羊

(Exercices d'écrit) 次の質問に答えましょう

(1) つぎの文に（　）内の語句をつけて過去の文にしてみましょう。過去分詞の形はヒントを参考にしてください。

a. ：Je regarde le match de baseball (hier soir).
野球の試合を見る。

b. ：Je fais une sieste. (cet après-midi)
昼寝をする。

c. ：Je vois des amies. (la semaine dernière)
友人に会う。

d. ：Je visite le château d'Osaka. (le week-end dernier)
大阪城を訪れる。

regarder → regardé	prendre → pris
voir → vu	visiter → visité

(2) つぎの文中の（　）のなかに助動詞 être もしくは avoir を選んで、活用させて入れてみましょう。

a. Luc (　　　　　) né à Paris.
リュックはパリで生まれた。

b. Il (　　　　　) devenu pâtissier.
彼はパティシエになった。

c. Miho (　　　　　) allée en France pour devenir pâtissière.
ミホはパティシエールになるためにフランスに行った。

d. Ils (　　　　　) commencé à travailler* dans la même pâtisserie.
彼らは同じパティスリーで働きはじめた。　* commencer à + 動詞の原形 ～しはじめる

e. Ils (　　　　　) tombés amoureux** tout de suite.
彼らはすぐに恋に落ちた。　　　　　** tomber amoureux 恋に落ちる

f. Enfin, ils (　　　　　) venus au Japon ensemble.
結局、彼らは日本にいっしょに来たのだ。

153

Scène 29

Visite de la cave à Saké

カーヴ

.... 酒蔵訪問

😺 saké って何？（C'est quoi, saké ?）と聞かれたら、「日本の米（を原料にした）ワインです」
   クワ
   C'est du vin de riz japonais と答えよう。

154

Un peu de grammaire　ちょっと文法

😺 比較の表現

　二つのものを比べて、こっちが「より～だ」というときには比較の表現を用います。英語では形容詞を比較級に変えるの？それとも more を使うの？と悩みますが、フランス語では基本的に作り方はひとつ。

> plus（ブリュ）＋ 形容詞 / 副詞 ＋ que 比較の対象「…よりも～だ」

さらに、同等比較と劣等比較もあわせて覚えよう。作り方のパターンは同じ。

> aussi（オッスィ）＋ 形容詞 / 副詞 ＋ que 比較の対象　「…と同じくらい～だ」
> moins（モワン）＋ 形容詞 / 副詞 ＋ que 比較の対象　「…ほど～ではない」

Yoshio est plus gai（ゲ）que Miho.　ヨシオはミホより陽気だ。

Luc est aussi gai que Miho.　リュックはミホと同じぐらい陽気だ。

Miho est moins gaie que Yoshio.　ミホはヨシオほど陽気ではない。

🐱 形容詞は比較表現のときでも、それがかかる名詞の性数に一致するよ。

La clef 😺 ポイント ● 特殊な比較級

bon（形）、bien（副）、beaucoup（副）にはそれぞれ特殊な比較級があります。

　× plus bon 　→ 　○ meilleur（メイユール）　よりよい、よりおいしい

　× plus bien 　→ 　○ mieux（ミュウ）　より上手に、よりよく

　× plus beaucoup 　→ 　○ plus　よりたくさん

Miho parle mieux français qu'anglais.

ミホは英語よりフランス語を上手に話す。

Luc boit plus*（ボワ プリュス ク）que Papa !

リュックはお父さんより飲んでるわ！

＊ de や que の前ではしばしば plus の最後の s を発音します。

La bière japonaise est meilleure que la bière française !

日本のビールはフランスのビールよりもうまい！

Parlons en français

ディアローグの日本語を今度はフランス語で言ってみよう！　　　　　CD 71

ぼくはもっと辛口の酒のが
好きだなあ、
大吟醸みたいなさ。

サ　セル
Ça, c'est le
メイユーる
meilleur*！

ア　ボン　プーる　モワ
Ah bon? Pour moi,
イ　レ　アン　プー　トろ　ドゥ
il est un peu trop doux.

★ 最上級 → scène 30

On peut dire aussi…　●こんなことも言えますね…　　　　　CD 72

デギュステ
On peut déguster ces sakés ?　　このお酒試飲してもいいですか。

オ　ナ　シュテ
Si on achetait* une bouteille comme cadeau** ?　　お土産に一本買ってたらどう？

　　★ si + 半過去 = 誘う表現「〜しない？」→ scène 35　　★★ comme + 無冠詞名詞 =「〜として」

モワン　シェーる
Ce saké est moins cher.　　このお酒の方が安いわね。

Pratique !　●ワインの味いろいろ

◆赤ワイン　le vin rouge
　　エピセ　　　　　　　　フリュイテ　　　　　　　　　　　アろマチーク
　スパイシー épicé　フルーティ fruité　芳香性のある香り aromatique
　　ファドゥ　　　　　　デヴロペ　　　　　　　　　　タニック
　単調 fade　熟成した développé　タンニンが濃い tannique

◆白ワイン　le vin blanc
　　セック　　　　ドゥミ　セック　　　　　　　　　モワルー　　　　　ドゥ
　辛口 sec　半辛口 demi sec　やや甘口 moelleux　甘口 doux

◆シャンパン　le champagne
　　ブリュットゥ　　　エクストら　　　　　　　　　　　　　　　
　超辛口 brut　辛口 extra sec　半辛口 sec　半甘口 demi sec

　甘口 doux

156

29

第五の味覚　うま味

　「うま味」l'umamiという言葉は日本人で知らない人はあまりいないでしょう。昆布やカツオの出汁の繊細な味わいは言葉では説明しづらいものです。しかし最近では日本のみならず、世界中で「うま味」に注目が集まっています。1908年、池田菊苗博士は昆布だしの旨味成分がグルタミン酸であることを突き止めました。その後、うま味の研究は受け継がれ、鰹節や椎茸に含まれる旨味成分がそれぞれ明らかになっていきました。

　フランスではブイヨンbouillonやコンソメconsomméといった動物性タンパク質や野菜から旨味成分を抽出する調理法は古くから存在しましたが、うま味とは単に塩味や甘みのバランスにすぎないと考えられてきました。

　しかし2000年になって、味覚を感知する舌の味蕾にはうま味を受容する細胞があることが明らかになり、うま味はこれまでの塩味、甘味、酸味、苦味に加わる第5番目の味覚として認識されるようになりました。

　西洋の食材ではトマトやチーズ、トリュフなどのキノコ類にうま味が多く含まれているそうです。

La fête foraine

ラ　フェットゥ　フォれーヌ

.... お祭り

リュックとミホは一緒にお祭りに来ました。子供たちが金魚すくい la pêche des
ラ　ペッシュ　デ
poissons rouges をしています
るーじゅ

わあ、
金魚を釣ってるんだね！

前は
これよく
やったわ。

Chez nous,
シェ
Papa était
エテ
le meilleur pêcheur.
ル　メイユーる　ペッシューる

Un peu de grammaire　ちょっと文法

😺 半過去

・**活用**：語幹は現在形 のnousの活用から、活用語尾onsを取った形。唯一の例外は
être で、語幹は ét- 。活用語尾は例外なし！

語幹	エ ais / ait / aient	イオン -ions	イエ -iez
fais = トル フゾン／ (nous) fais<u>ons</u>	フゼ　　　　フゼ je fais**ais**　tu fais**ais** フゼ　　　　　　　　　フゼ il / elle fais**ait**　ils / elles fais**aient**	フズィオン nous fais**ions**	フズィエ vous fais**iez**

faire の活用表 → p.161

・**用法**：複合過去と同じくよく使います。行為の始めと終わりを意識しない、過去のあ
る様態、継続的な状態、習慣など反復的行為を表すのに使います。

コン　　　　　ジャビテ
Je faisais du jogging quand j'habitais à Paris.

パリに住んでいた頃は（過去の状態）、ジョギングをしていた。（過去の習慣）

cf. **J'ai fait du jogging ce matin.**　今朝、ジョギングをした。（一回性の出来事）

😺 最上級

比較級の前に定冠詞をつけると、最上級になります。

形容詞の最上級　le / la / les $\frac{\text{plus}}{\text{moins}}$ ＋ 形容詞 ＋ de

副詞の最上級　le $\frac{\text{plus}}{\text{moins}}$ ＋ 副詞 ＋ de

「〜のうちで」という比較の範囲は、前置詞の de で表します。また、形容詞の最上
級は修飾する名詞の性・数にあわせて、定冠詞も変わります。

レ　プリュ　　パスィオネ　　デ　ファン　ドゥ
→ Yoshio et Satoshi sont les plus passionnés des fans de Tigers.

ヨシオとサトシはタイガースのファンでも、いちばん熱狂的です。

La clef 😺 ポイント　● 半過去の思い出と活用には愛（アイ a i ）がある

半過去形を見分けるコツは、いつもの活用語尾 (-s, -s, -t, -ons, -ez, -ent) の前に
ai（アイ i ）が 入っているかどうかです。ですから、「あの頃はこうだった」と愛に
満ちた（？）「思い出を語る半過去の活用には愛（ a i ）がある」と覚えましょう！

159

Parlons en français

ディアローグの日本語を今度はフランス語で言ってみよう！　　　CD 73

Avant, on faisait
souvent ça.
（アヴォン／スーヴォン）

Ah, on pêche
de petits poissons
rouges !
（ペッシュ）

家ではパパが
一番の名人だったわね。

☁ **On peut dire aussi...**　●こんなことも言えますね…　　　CD 74

Tu es encore*　plus belle avec ton kimono.
（オンコーる）（ベル　アヴェック）

着物を着てると、また一段ときれいだねえ。　　* encore は「さらに」。比較級の plus を強調。

Ça s'appelle « yukata », c'est un kimono d'été.
（サ　サペル）（デテ）

これは「浴衣」という、夏用の着物よ。

🌸 **Pratique !**　●頻度の表現

頻

いつも　toujours
（トゥジューる）

しばしば、しょっちゅう　souvent

時折、時々、時には　parfois, de temps en temps,
（パッフォワ　ドゥ　トン　ゾン　トン）
quelquefois
（ケルクフォワ）

たまに、めったにない　pas souvent

まれに　rarement
（はーるモン）
稀

160

30

フランスの休日とバカンス

　日本と比べると、フランスはものすごくお休みが多いように見えるのですが、祝祭日だけ見れば1年で11日。16日ある日本より少ないんです。

　ではフランスの学校はどうかといえば、9月に新学期が始まって1ヵ月半ほど頑張ると、10月半ばから11月にかけて2週間ほどトゥッサン（万聖節＝すべての聖人のお祭り）のお休みがあります。また1ヵ月半ほど頑張ると、今度はクリスマス休暇で2週間ほどお休み。さらに冬休みともスキー休暇とも呼ばれる2月から3月頃のお休みが2週間あって、今度は4月のイースター（復活祭）からメーデーの5月頃にかけて2週間ほど春休み。そうして最後に1ヵ月半ほど頑張って6月を終えると、めでたく2ヵ月のバカンスとなります。

　大人はさすがにここまでお休みは多くありませんが、働きだした人は1年目でも年5週間の有給休暇があり、だれもがきっちりそれを消化します。（法律で取ることが義務づけられているんです！）19世紀から20世紀初頭まで、バカンスは一部のお金持ちにしか許されない特権でした。しかし1936年、すべての労働者に認められる平等な権利として有給休暇制度が左翼政権によって導入され、以来フランスのバカンスの歴史が始まったわけです。つまりフランス人に取ってバカンスとは労働者が勝ち取った立派な権利。ですから、有給休暇も消化できないとか、強制的に上司が休みを取らせるなんて話、フランスでは考えられません！

CD 96

faire（半過去）

je faisais	nous faisions
tu faisais	nous faisiez
il faisait	ils faisaient
elle faisait	elle faisaient

EXERCICES | *scènes 29-30*

(CD 75)

Exercices d'oral キーフレーズを何度も発音して覚えよう！

(1) 矢印の後は、音節を意識したキーフレーズです。発音されない字は小さくなっていますので、音節の切れ目（・）に注意して文を発音してみましょう。

Je préfère le saké plus sec.

→ jₑ・pré・fèrₑ・lₑ・sa・ké・pluₛ・sec.

Papa était le meilleur pêcheur.

→ pa・pa・é・taiₜ・lₑ・me[i]・illeur・pê・cheur.

(2) さあ、つぎはキーフレーズを CD と同時に発音（シャドーイング）できるようになるまで練習してみましょう。

Un peu de prononciation ちょっと発音 ● 半母音 -il, -ill

« il »、« ill » という綴りが出てきたら、それは半母音のひとつで、いずれも「ィユ」[ij] と発音します。日本で「ミルフィーユ」と呼ばれているお菓子 mille-feuille でお目にかかる形です。この mille 「ミル」は何で「ミィユ」じゃないのと疑問に思われる方もいるかもしれませんが、この mille は数少ない例外なのです。

« il »、« ill »：travail 仕事　fille 女の子　maquillage 化粧

ちなみに、フランス語風にいえば、お菓子 mille-feuille は「ミル・フィーユ」（« feuille » は「葉っぱ」のことです）。「ミル・フィーユ」では「1000人の女の子」« mille filles » になってしまいます…

例外：mille 1000　une ville 市、街　un mail メール

162

Exercices d'écrit 次の質問に答えましょう

(1) つぎの文を（　　）に日本語に合うように適切な語を入れて、比較の文にしましょう。

a. : Il fait (　　　　) chaud qu'hier.
キェーる
昨日ほど暑くないわね。

b. : Ces fraises sont (　　　　) chères que ces cerises.
フれーズ
このイチゴ、あのサクランボと同じくらい高いね。

c. : Tama est (　　　) intelligent que le chat des voisins*.
アンテリジョン　　　　　　　　　　　　　　　　　　　　　ヴォワザン
タマは隣のねこよりかしこいよ。　　　　　　　　* voisin 隣人

d. : Mon gâteau est (　　　) que le gâteau de Luc.
私のケーキはリュックのケーキより美味しいわ。

> plus　aussi　moins　meilleur　mieux

(2) つぎの文を最上級に書き換えてみましょう。

a. Satoshi est jeune. サトシは若い。

→ _____ de ma famille.

b. Les gâteaux de Luc sont bons. リュックのケーキはおいしい。

→ _____ de tous.

c. Yoshio aime beaucoup le baseball. ヨシオは野球が大好きだ。

→ _____ de tous les sports.

(3) 日本語訳を参考に、文中の（　）内の動詞を半過去か複合過去か選んであてはめ、文を完成させましょう。

a. Hier, il (a fait / faisait) très beau au Japon.
フェ
昨日、日本はとてもいい天気でした。

b. Quand il (a été / était) jeune, Papa (a été / était) très gentil avec moi.
エテ
若い時、お父さんは私にとてもやさしかったのよ。

c. Quand je (suis rentrée / rentrais), Luc (a pris / prenait) du saké avec Papa.
ほントれ　　　　　　　　　　　　　　プリ　　プるネ
わたしが帰ったとき、リュックはお父さんとお酒を飲んでいました。

163

Scène 31

Un déjeuner rapide

お手軽ランチ

Un peu de grammaire ちょっと文法

😺 avoir のさまざまな慣用表現

動詞 avoir（→ scène 9）は、「持つ（＝ have）」以外にもさまざまな場面で用いられます。兄弟や子どもの有無、« il y a »「〜がある」（→ scène 9）や年齢表現（→ scène 10）の他に、体の状態を説明することもできます。

---

① 体の調子を言う

J'ai faim　おなかがすいた　　　chaud　暑い
ショ

　　soif　のどが渇いた　　　　　froid　寒い
　ソワフ　　　　　　　　　　　フろワ

　　sommeil　眠い
　ソメイユ

　　mal à la tête (au dos, aux dents…)
　マ　ラ　ラ テットゥ　オ　ド　　オ　　ドン

　　　頭が（背中が、歯が…）痛い

② 欲求や必要を伝える

avoir besoin de…　　「〜する必要がある、〜しないといけない」
　　ブゾワン

　J'ai besoin d'aller à la poste.
　　　　　　　　ダレ

　　郵便局に行かないといけないわ。

avoir envie de…　　「〜したい」
　　オンヴィ

　J'ai envie de boire une autre bière.
　　　　　　　　　　　ユ　　ノートル

　　ビールもう一杯欲しいな。

La clef 🐱 ポイント

身体の特徴を説明するときにも avoir は使えます。

Il a les yeux marrons.　彼は茶色い目をしている。
　　　　　　マほン

Elle a les cheveux longs.　彼女は髪が長い。
　　　　シュヴ　　　ロン

J'ai des lunettes.　ぼくは眼鏡をかけている。
　　　リュネットゥ

avoir は基本的には英語の have と同じ意味ですが、使える範囲は have よりもかなり広いです。フランス語では être と avoir は二大重要動詞なので、活用はもちろん、慣用表現もマスターして使いこなせるようにしましょう。

ディアローグの日本語を今度はフランス語で言ってみよう！　　CD 76

> コネ
> Tu connais* un
> bon restaurant ?

> お腹ペコペコ！

> オンヴィ ドゥ
> J'ai envie de
> モンジェ ケルク
> manger quelque
> ショーズ らヴィッドゥモン
> chose rapidement.

> タグれアーブル
> C'est agréable de
> モンジェ ドゥオーる
> manger dehors, non?

コネートる
* connais → connaître「知っている」

☁ **On peut dire aussi...**　●こんなことも言えますね…　　CD 77

ブれ　ディスィ
Il y a un restaurant pas cher près d'ici* ?

　　近くに安いレストランある？　　　　　　* près de + 場所 ～の近くに

ジェムれ　　　　　　　　　　　　　　　　ドゥ　レジェ
J'aimerais manger quelque chose de léger*.

　　何か軽く食べたいな。　　　　　　　　　* quelque chose de + 形容詞 何か～なもの

❀ **Pratique !**　●レストランいろいろ

和食（中華／フレンチ／韓国料理／イタリアン）レストラン
シノワ　　　　　　　　　　　　　　　コれアン
le restaurant japonais (chinois / français / coréen / italien)

和食（中華／フレンチ／韓国料理／イタリアン）を食べる

manger japonais (chinois / français / coréen / italien)

ビストろ　　ビストろ　　　　　ブらッスリ　　　　　　　　　バーる
ビストロ　un bistro　　ブラッスリー　une brasserie　　バー　un bar

ア　オンポるテ　　　　　　スュふ　プらス
お持ち帰り　à emporter　　店内で　sur place

れゼルヴェ
二名で予約する　réserver une table pour deux personnes

フランスでのお手軽ファスト・フードは？

　フランスといえば、何といってもフランス料理。でもちゃんとしたレストランは値段が高そうだし、ちょっと敷居が高い。そんなときお手軽にフランスのグルメを味わうのにテイクアウトのお店がオススメです。特に天気がいいときには外の公園や河沿いで食べるランチは格別気持ちがいいものです。

　ではフランスではどのようなファスト・フードがあるのでしょうか。何といっても定番は バゲットのサンドイッチ sandwich。ハム、チーズ、チキン、ツナ、サーモンなど種類も豊富。生野菜もしっかり入ってバランスよく食べられます。

　もっとボリュームをという方にはケバブがオススメ。羊肉を丸太のように重ねて専用の機械で焼いているのは街中でよく見かける光景ですが、注文を受けるたびに肉を削いで、ピタと呼ばれる薄い白パンに野菜と一緒に挟みます。さらにあふれんばかりのフライドポテト。これだけでほんとにお腹いっぱいになります。

　フランスでも最近の流行は健康志向。日々の食事を大切にするフランス人たちにはオーガニックな食材にこだわったベルギー発のチェーン店エクスキ EXKi（「exquis 美味しい」から）の bio（有機栽培）のサラダ、スープ、サンドイッチ等のランチや、テイクアウトのお寿司も人気を集めているようです。

《エクスキ》

テイクアウトのできる寿司屋

Scène 32

Un verre au *yatai* entre hommes !

································· 男同士、屋台で一杯！

駅でばったり、お父さんとリュック。すると、お父さんが覚えたてのフランス語で…

Un peu de grammaire　ちょっと文法

🐾 直接目的補語代名詞（直接目的語をうける代名詞）

Je t'invite は「きみを招待する＝おごる」という意味ですが、ここでリュックはお父さんに « vous » ではなく « t'(= te) » で 呼ばれています。どうやら、ようやく家族の一員として認められたようですね！

フランス語は代名詞が大好き。すでに会話に出てきた人や物は代名詞に置き換えます。ここでは「～を」の部分（定冠詞や指示形容詞などがついて特定できる直接目的語）に代わる代名詞を見ていきましょう。

私を	きみを	彼を それを	彼女を それを	私たちを	あなたを あなた たちを	彼らを それらを	彼女らを それらを
ム me	トゥ te	ル le	ラ la	ヌ nous	ヴ vous	レ les	

目的補語は代名詞に置き換えたら、常に**動詞の前**におきます

Yoshio invite <u>Miho et Luc.</u>　Miho et Luc → les （彼らを）

レ　ザンヴィットゥ
Yoshio les invite.　ヨシオは彼らを招待する。

複合過去の文では、助動詞の前におきます。このとき、前に置かれた代名詞の性・数にあわせて、過去分詞も変化するので気をつけよう。　→ scène 28 La clef 🐱 p.149

レ　ザ　アンヴィッテ
Yoshio a invité　<u>Miho et Luc.</u>　→ Yoshio les a invités.

🐱 ここはリエゾンするよ。

La clef 🐱 ポイント

« me »、« te »、« le »、« la » は母音で始まる動詞が後につづくと、e がおちて « m' »、« t' »、« l' »、« l' » となり、動詞とひとまとまりになります。　→ scène 5 エリズィオン

メーム　　　　　　　　テーム
Tu m'aimes ? — Oui, je t'aime.

私のこと愛してる？ — うん、愛してるよ。

ヴュ　　　　　　　　　　　　　　　レ
Tu as vu ce film ? — Oui, je l'ai vu.（l' = le = ce film）

この映画見た？ — うん見たよ。

169

Parlons en français

ディアローグの日本語を今度はフランス語で言ってみよう！ `CD 78`

* peut-être 「たぶん」「おそらく」「〜かもしれない」

☁ On peut dire aussi... ●こんなことも言えますね… `CD 79`

バフタージュ
On partage ce plat ? この料理一緒に取り分けて食べようか？

セパれモン
On va payer séparément ? 割り勘にする？

❀ Pratique ! ●量の表現

もるソー un morceau de...	ひとかたまりの〜
un morceau de *tofu*	ひとかたまりの豆腐
トろンシュ une tranche de...	ひと切れ（薄切り）の〜
ロズビフ une tranche de rosbif	ひと切れのローストビーフ
パーふ une part de...	1個（部分）の〜
une part de gâteau	1個のお菓子 🐱 de の後ろは名詞を冠詞なしでつけるよ。

170

Colonne

32

スェリミ Surimi ？

　日本の屋台の定番は、もちろん「おでん」。丸天やごぼ天など、魚のすり身を揚げたおでんは、フランスの日本料理屋さんでも、ちらほら目にすることがあります。しかし、「すり身」がフランス語にはいって「スュリミ」surimi となると、それは何といっても「カニかま」！　です。テイクアウトのお店で売られている手巻き寿司の具としてだけでなく、サラダやサンドイッチなど、さまざま用途で、このフランス風カニかま「スュリミ」はフランス人に親しまれています。スーパーでは surimi や bâtonnets などの名で売られています。

　ではフランスで魚のすり身を使った料理は？と言われれば、リヨンの郷土料理、「クネル」quenelle があげられます。魚のすり身に小麦粉、卵黄、バターなどを混ぜて団子状にし、ポシェ pocher（湯通し）したものにベシャメル・ソースをかけて、オーブンで焼いたものです。ブロシェ brochet（川カマス）を用いたものが多いですが、魚だけでなく、鶏肉などの肉類を使ったクネルもあり、つけるソースもお店によってさまざま。日本のおでんよりもふんわりとろとろで、どちらかというとハンペンに近い感じです。リヨンに行った際はぜひフランス版すり身を味わってみてください。

EXERCICES | *scènes 31-32*

Exercices d'oral　キーフレーズを何度も発音して覚えよう！　(CD 80)

(1)　矢印の後は、音節を意識したキーフレーズです。発音されない字は小さくなっていますので、音節の切れ目（・）に注意して文を発音してみましょう。

J'ai envie de manger quelque chose rapidement.

→ j'ai・en・vi_e・d_e・man・ge_r・quelqu_e・chos_e・ra・pid_e・men_t.

Je t'invite ce soir.

→ j_e・t'in・vit_e・c_e・soir.

(2)　さあ、つぎはキーフレーズを CD と同時に発音（シャドーイング）できるようになるまで練習してみましょう。

Un peu de prononciation　ちょっと発音 ●«h» の発音いろいろ

　フランス語では «h» は発音されることはありませんが、いちおう有音と無音の区別はあります（ややこしいですね）。有音の «h» が語頭にある時はリエゾンやエリズィオンはしません。有音の «h» で始まる言葉は、辞書の見出しのところにちゃんと*のような印がついています。

l'hôtel　ホテル　　les haricots　インゲン豆

無音　　　　　　　　　　　有音

また «ch» や «ph» となった時は特別な発音になります。

ch「シュ」　chose　物　　chance　機会　　chien　犬

ph「フ」　pharmacie　薬局　　photo　写真

🐱 Moi, je suis un chat.

172

Exercices d'écrit　次の質問に答えましょう

(1) 次の日本語に合うように文中の（　）に適切な語句を入れましょう。

a. : J'ai (　　　　　) ! De la bière, s'il te plaît !

のどが渇いたな！ ビールくれ！

b. : Ah, j'ai (　　　　).

あー、腰が痛い。

c. : Je n'ai pas (　　　　　) de rester ici plus longtemps !

これ以上ここにいたくないわ！

d. : J'ai (　　　　)…

胃が痛い…

e. : Me voilà ! J'ai (　　　　　) !

ただいま！ おなか空いた！

---

mal à l'estomac (レストマ)　mal aux reins (ハン)　envie　soif　faim

---

(2) つぎの質問に直接目的語に代わる代名詞を用いて答えてみましょう。

a. Vous utilisez souvent Internet* ? (ユティリゼ / アンテるネットゥ)　よくインターネット使いますか？

　　 − Non, je ne (　　　) utilise pas souvent. (ユティリズ)　あまり使いません。

　　＊Internet 圐 外来語「インターネット」は無冠詞で文頭を大文字にした形でよく使われます。

b. Tu connais Sakiko ? (コネ)　サキコ知ってる？

　　 − Oui, je (　　　) connais bien. (コネ)　うん、よく知ってるよ。

c. Tu parles japonais ?　きみは日本語話すの？

　　 − Non, je ne (　) parle pas.　いや、話さないんだ。

　　 ヒント：言語はすべて男性名詞だよ。

173

Au restaurant de sushi

お寿司屋さんで

はじめて日本のお寿司屋にやってきたリュック。いけすの魚に興味津々。

サ　ス　　モンジュ　　コモン
Ça se mange comment ?

もちろん、お寿司よ。
お刺身もできるわね。
それに、
天ぷらだっていいわ。

この鯛は
明石産かな？
うまそうだな…

Un peu de grammaire ちょっと文法

🐾 代名動詞

　代名動詞というのは、「自分自身を（英 oneself）〜する」というふうに、動詞の行為が主語に向けられるとき、目的語の代名詞（再帰代名詞＝自分を（に））と動詞を組み合わせて使う動詞です。たとえば coucher 〜「〜を寝かせる」は、自分が寝るときは、代名動詞 se coucher の形になります。活用は通常通りです。

・活用

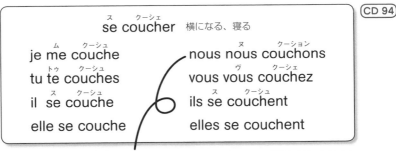

CD 94

se coucher　横になる、寝る

je me couche	nous nous couchons
tu te couches	vous vous couchez
il se couche	ils se couchent
elle se couche	elles se couchent

🐱 こんな風に同じ言葉がふたつ続いても、印刷ミスじゃないよ！

・主な用法

(1) 再帰的：「自分を〜する」

Je m'appelle Luc.

私は私をリュックと呼びます
→ 私の名前はリュックです。

(2) 受け身的（物が主語）：「〜される」

Ça se mange comment ?

それはどうやって食べられる
→ それはどうやって食べるの？

(3) 相互的：「お互いに〜する」

On se connaît déjà ?

もう互いに知り合ってるよね
→ 会ったことあるよね？

(4) 本質的：代名動詞としてしか使わない慣用的用法

se souvenir de 〜 「〜を覚えている」など

Vous vous souvenez de moi ？ 私のこと覚えてますか？

La clef 🐱 ポイント

代名動詞を複合過去にするときは、助動詞に être を用います。ですから、過去分詞は主語に性数一致します。

Je me suis couché très tard hier soir. 夕べは寝るのがとても遅かった。

Elle s'est bien amusée. 彼女はとても楽しんでたよ。

Parlons en français

ディアローグの日本語を今度はフランス語で言ってみよう！ (CD 81)

どうやって食べるの？

En sushi, bien sûr !
（ビアン スューる）
Puis en sashimi,
（ピュイ）
et pourquoi pas*
（ブックワ パ）
en tempura…

Hum… ça a l'air bon,
（サ ア レーる）
cette daurade… Ça vient
（ドらドゥ）
d'Akashi peut-être ?

* pourquoi pas :
（「なぜいけない」）
→「もちろん、OK」

🌩 **On peut dire aussi…** ● こんなことも言えますね… (CD 82)

Ça se mange cru ? これ生で食べられますか？
（クリュ）

Mangez avec un peu de sauce (de) soja. ちょっと醤油をつけてください。
（ソス ドゥ ソジャ）

Tu peux le goûter avec du sel. （それを）塩で食べてもいいわよ。

🌸 **Pratique !** ● 料理いろいろ

sauter ソテーする、フライパンで焼く（→ sauté ソテー）
（ソテ）　　　　　　　　　　　　　　　（ソテ）

griller グリル（焼き網）で焼く（→ grillé グリル）
（グリィエ）　　　　　　　　　　　（グリィエ）

frire 油で揚げる（→ frit フリット、揚げ物）
（フリーる）　　　　　（フリ）

rôtir ローストする（→ rôti ロースト）
（ろチーる）　　　　　　（ろチ）

pocher ゆでる（→ poché ゆでた）œuf poché ポーチドエッグ
（ポシェ）　　　　（ポシェ）　　　　（ウフ）

poêler 鍋に油を引いて焼き上げる（→ poêlé ポワレ）
（ポワレ）　　　　　　　　　　　　　（ポワレ）

flamber ブランデー、コニャックなどをかけて火をつけ、香りづけする（→ flambé フランベ）
（フランベ）　　　　　　　　　　　　　　　　　　　　　　　　（フランベ）

176

Colonne

33

フランスの魚

　フランスの魚屋さんに行くと、色とりどりの魚がきれいに並べら
れ、それだけでも楽しくなってきます。店頭に並べられる魚は、ア
ジ le chinchard、イワシ la sardine、サバ le maquereau、鯛 la
daurade、スズキ le bar といった日本でもなじみのあるものから、ヒメ
ジ le rouget、生タラ le cabillaud（塩漬けは la morue）、クロジマナガ
ダラ la julienne（la lingue とも。細長い体型で野菜の千切り julienne
を連想させることからこう呼ばれるようです）など日本では見かけない
魚もちらほら。他にも定番のイカ le calamar やエビ la crevette、ホ
タテ貝 la coquille Saint-Jacques から、ちょっと高級なオマール海老
le homard、変わったところではザリガニ l'écrevisse 囡、ムール貝 la
moule なども。キロ単位で生ガキ l'huître 囡 がたくさん詰め込まれた木
箱が店頭に並ぶようになると、本格的な冬の訪れを感じます。

　フランスの魚料理の定番といえば、何といってもブイヤベース！南仏
マルセイユの郷土料理です。マルセイユでは「ブイヤベース憲章」なる
ものがあり、伝統的な味を守るべく、使う魚の種類や材料、調理法、供
し方などがこと細かに定められています。ですがもともとは漁師たちが
売れ残った魚を大鍋で煮て作った豪快な料理。魚の濃厚な出汁の効いた
スープはどことなく懐かしい気持ちにさせてくれます。

Scène 34

ボ ナ ネ

Bonne année !

あけましておめでとう！

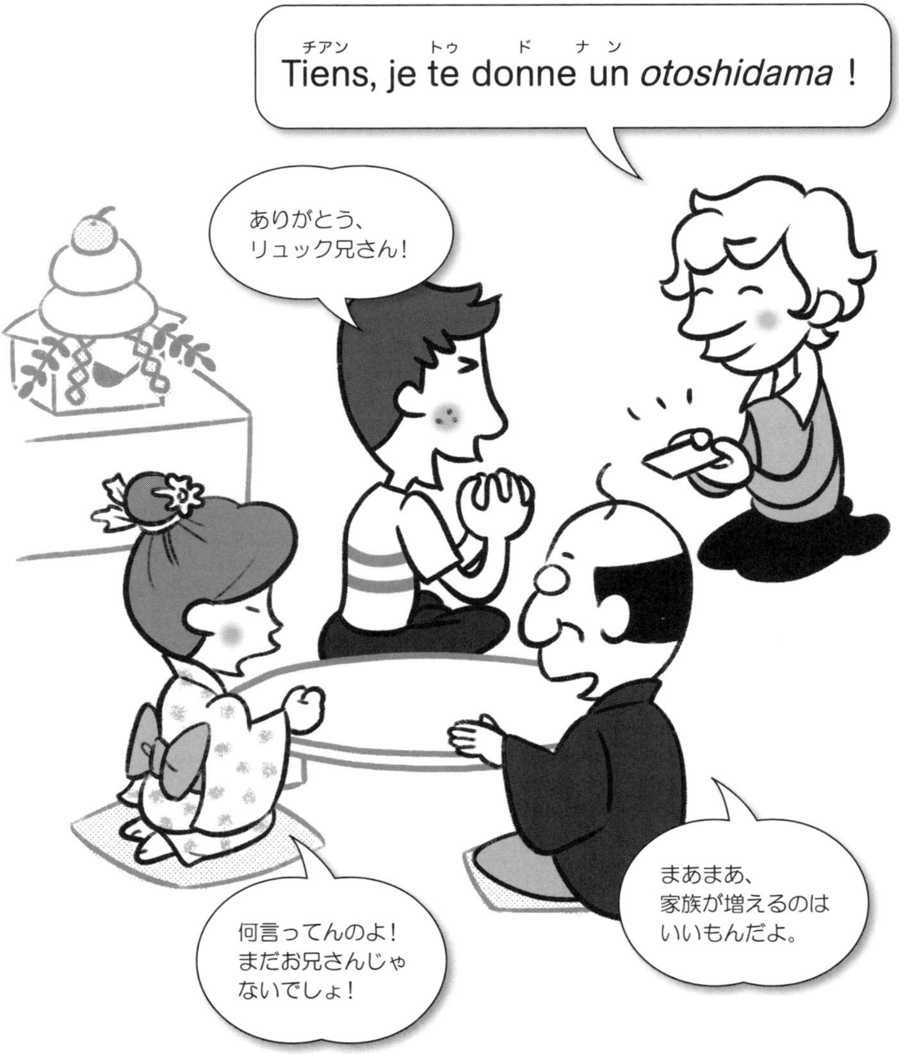

Un peu de grammaire　ちょっと文法

🐾 間接目的補語代名詞（間接目的語をうける代名詞）

« à …» 「〜に」の代わりに用いられる代名詞です。直接目的補語の代名詞（→ scène 32）と同様に動詞の前におきます。

私に	きみに	彼に	彼女に	私たちに	あなたに	彼らに	彼女らに
ム me	トゥ te	リュイ lui		ヌ nous	ヴ vous	ルール leur	

Je téléphone à Miho. → Je **lui** téléphone.

私はミホに電話をする。　　　　　　　　私は彼女に電話をする。

Il **me** montre* des photos de sa famille.

彼は私に家族の写真を見せる。　　　　* montrer 〜 à …「…に 〜を見せる」

Elle parle à Sophie et Pierre. → Elle **leur** parle.

彼女はソフィーとピエールに話しかける。　　　彼女は彼らに話しかける。

La clef 🐱 ポイント　● 目的補語代名詞

　直接目的補語、間接目的補語の人称代名詞が同時に用いられるときは、どちらを先に持ってくるかがポイントになります。語順は①の組みあわせか、②の組みあわせしかありません。

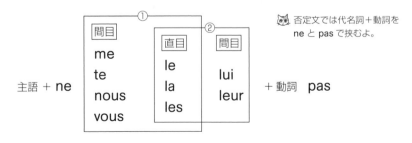

🐱 否定文では代名詞＋動詞を ne と pas で挟むよ。

Je **te la** présente.　きみに彼女を紹介するよ。

Tu **le lui** donnes ?　きみはそれを彼（女）にあげるの？

179

▓ Parlons en français ▓

ディアローグの日本語を今度はフランス語で言ってみよう！　　CD 83

Merci Luc,
mon frère !

はい、
きみにお年玉を
あげるよ。

エグザジェーる
Mais tu exagères* !
Ce n'est pas
encore ton frère !

ヴォワイヨン
Mais voyons, c'est
pas mal d'avoir un
ヌーヴォー　　モンブる
nouveau membre
dans la famille.

* exagérer :「大げさに言う、〜を誇張する」

🐦 **On peut dire aussi...**　● こんなことも言えますね…　　CD 84

Qu'est-ce que je vais acheter ?　　何買おうかな？

フェ　デ　ゼ　　コノミー　　　　　　　　トナ　ヴニーる
Fais des économies pour ton avenir.　　将来のために節約しなさい。

🌸 **Pratique !**　● 季節の挨拶いろいろ

ジョワイユー　ノエル
メリークリスマス！　Joyeux Noël !

ボンヌ　フェットゥ
よいお祝いを　Bonnes fêtes !　🦉 クリスマスの前に別れのあいさつで使うよ。

ボンヌ　ファン　　ダネ　　　　　　　　　　　ル　　ヌーヴェラン
よいお年を　Bonne fin d'année !　新年　Le Nouvel An

ボンナネ　　　　　　　　　　　　　　　　　　ル　ジューる　ドゥ　ラン
あけましておめでとう！　Bonne année !　元日　Le Jour de l'An

ボンヌ　　　ヴァコンス
よいヴァカンスを！　Bonnes vacances !

180

34

フランスのクリスマスと日本のお正月

　財布の紐が固いフランス人が大金を使うのは年に2回、バカンスとクリスマスの時だと言われています。そう、フランスでもっとも重要なお祭りはクリスマス。日本のクリスマスのように恋人や友達とスペシャルな夜を過ごす行事ではなく、むしろ日本のお正月のように、家族や親類で集まって過ごします。みんなでプレゼント交換し、フォアグラやシャンパン、生ガキなど少し贅沢なごちそうを楽しみ、人によっては教会に足を運びます。デザートは日本でもおなじみのケーキ、bûche de Noël ですね。でも、大晦日は友達と大騒ぎしながら、時には凱旋門のあたりに繰り出して、賑やかに誰彼かまわずビズを交わして、新年の到来を祝います。ただし、お祭り騒ぎは31日の晩だけ。二日酔いでもして元日をぼーっと過ごしてしまうと、1月2日にはもう普通の日に戻っており、日本人からするといささか味気ないほどです。

　では日本のお正月の言葉をフランス人に伝えてみましょう。

　・大掃除 → 年末の大掃除
　　　　　= un grand nettoyage de fin d'année

　・もち → 粘り気のある米を練ったもの
　　　　　= pâte de riz gluant

　・おせち料理 → 新年のための伝統的料理
　　　　　= la cuisine traditionnelle pour le Nouvel An

　・お雑煮 → お餅の入ったスープ
　　　　　= une soupe aux pâtes de riz gluant

　もちろん十分な説明にはなりませんが、まずはおおざっぱなイメージが伝わればOK。

キーフレーズを何度も発音して覚えよう！　　　　CD 85

(1) 矢印の後は、音節を意識したキーフレーズです。発音されない字は小さくなっていますので、音節の切れ目（・）に注意して文を発音してみましょう。

Ça se mange comment ?

→ ça・sₑ・mangₑ・co・mmenₜ ?

Je te donne un Otoshidama.

→ jₑ・tₑ・don・nₑ un・o・to・shi・da・ma.

(2) さあ、つぎはキーフレーズを CD と同時に発音（シャドーイング）できるようになるまで練習してみましょう。

Un peu de prononciation ちょっと発音 ●«c» と «ç»

«c» は [k] と [s] の 2 通りの発音があり、後ろにどんな母音がくるかで決まります。«c» の後に «a / o / u» がくると [k] の音、«e / i / y» がくると [s] の音になります。

ca 「カ」「キ」　cadeau　プレゼント

co 「コ」　comment　どのような　　cu 「キュ」　cuisine　料理

ce 「ス」　cerise　さくらんぼ　　　ci 「スィ」　ici　ここ

«c» の後に «a / o / u» がきても [s] で発音する時に用いられるのが、«c» にだけつく綴り字記号、「セディーユ」«ç» です。c を [s] で読むための記号です。

ça　それ　　façon　方法　　reçu　領収書

🐱 S の音で読んでほしいから、C の下に小さい S がくっついてるんだね！

Exercices d'écrit 次の質問に答えましょう

(1) つぎの（　）内の代名動詞を適切に活用させましょう。

a. Comment ça (　　　　) en japonais ? (se dire)

それは日本語でどう言うの？

b. Tu (　　　　　) à quelle heure ? (se coucher)

何時に寝るの？

c. Miho et Luc (　　　　　) en France. (se rencontrer)

ミホとリュックはフランスで（互いに）出会う。

d. On (　　　) où ? (se voir) 🦉 « on » も « ça » も il の活用と一緒

どこで会おうか？

代名動詞の活用

je	me –	nous	nous –
tu	te –	vous	vous –
il	se –	ils	se –
elle	se –	elles	se –

(2) 次の文中の（　）に適切な間接目的補語人称代名詞を入れましょう。

a. Tu as téléphoné à Maman ? → Tu (　　　) as téléphoné ?

お母さんに電話した？　　　　　　　　　彼女に

b. Il a donné les cadeaux à Sakiko et Yoshio.

彼はサキコとヨシオにプレゼントをあげたよ。

→ Il (　　　) a donné les cadeaux.

彼らに

c. Cet appartement a plu* à Miho et moi.
　　セタ　　　バルトモン　　　プリュ

このアパルトマンはミホと私の気に入りました。

→ Cet appartement (　　　) a plu.

私たちに

* plu → 動詞 plaire (scène 15, p.84) の過去分詞

183

Scène 35

Dans un avenir proche...

ドン　ザ　ナ　ヴニーる　　プろーシュ

.... 近いうちに…

リュックもそろそろ日本の生活に慣れてきたところ。二人は自分たちが働くお店の近く
に家を借りようと計画中。

今日の午後、
不動産屋に
行ってみる？

好きなだけ
いていいのにな…

ジェムへ　　　　ビアン　ナヴォワーる

J'aimerais bien avoir un appartement

ブチーク

près de la boutique* ...

* フランス語で「ブティック」boutique は、洋服屋さんだけでなく、もっとひろく「店（小
売店）」をさします。

184

Un peu de grammaire　ちょっと文法

🐾 緩和の条件法

　条件法とはある条件（仮定）のもとで現実とは違う事柄を表すのに用いる形。でも、日常生活では願望や要望を和らげる丁寧な表現として使われます。ここではその用法でよく使う準助動詞の条件法をマスターしましょう！

・活用

準助動詞	je	vous	CD 97
vouloir	je voudrais	vous voudriez	
pouvoir	je pourrais	vous pourriez	
aimer	j'aimerais	vous aimeriez	

・用例　　Je voudrais 〜 ≒ J'aimerais 〜　「〜したいんですが」

Je voudrais réserver une table pour ce soir.

（レストランに）今晩席を予約したいのですが。

Je pourrais 〜 ?　「〜してもよろしいですか？」「〜いただけますか」

Je pourrais voir cette chambre ?

この部屋を見せていただけますか？

Pourriez-vous 〜 ?　「〜していただけませんか？」

Pourriez-vous répéter, s'il vous plaît ?

もう一度言っていただけませんか？

Il faudrait 〜　「〜すべきなのですが」「〜が必要でしょう」→ scène 23 falloir

Il faudrait trois pièces au moins*.

少なくとも、3部屋は必要だろう。　　　　　★ au moins「少なくとも」

La clef 😺 ポイント ● 相手に提案する表現

Si on + 半過去 〜　「〜するのはどうですか」

Si on allait au cinéma ?　映画に行くのはどうですか？

Ça te dit de 〜　「〜するのはどう？」

Ça te dit de faire une petite promenade ?　ちょっと散歩するのはどう？

185

ディアローグの日本語を今度はフランス語で言ってみよう！　　CD 86

スィ　オ　ナレ
Si on allait à
ラジョンス　イモビリエール
l'agence immobilière,
cet après-midi ?

店の近くにマンション
がほしいなあ。

プーヴ
Mais ils peuvent
オッスィ
rester aussi
ロントン　　　　キル
longtemps qu'ils
ヴル
veulent*…

* aussi longtemps que~　～と同じだけ長い間

☁ **On peut dire aussi...** ●こんなことも言えますね…　　CD 87

Il faut combien de pièces ?　どれくらい部屋がいる？

Shikikin, c'est comme une caution.　敷金は保証金みたいなものよ。
コスィョン

🌸 **Pratique !** ●不動産に関わる言葉

ステュディオ
ワンルーム　un studio　　家具付き　meublé　　契約する　signer le contrat
ムブレ　　　　　　　シニェ　ル　コントら

ルエ
（間借りで）部屋を借りる　louer une chambre　　保証金　une caution

ロワイエ　　　　　　　ロカテーる　　　　　　　コ　ロカテーる
家賃　le loyer　　賃借人　locataire　　同居人　co-locataire

プろプリエテーる
家主、持ち主　propriétaire

35

フランスのどこに住みたい？

　フランスで観光客が多く訪れる都市は1位パリParis（年3000万人）、2位リヨンLyon（600万人）、3位トゥールーズToulouse（560万人）、4位ニースNice（430万人）、5位ラ・ロシェルLa Rochelle（400万人）だそうです。もちろんそれぞれの都市に魅力はあるのですが、観光客が行きたいのは、それぞれが抱くフランスのイメージに近く、フランスに来たということを実感できるところなのではないでしょうか？

　でも実際にフランスに住んでいる人ができるならば住んでみたいと思う街は当然違うはずです。フランス人に、行政サービス、治安、教育、環境などを考えてどの街に住んでみたいですか？とアンケートをしてみると次のような結果になりました。

1位　　アンジェ　Angers
2位　　ブザンソン　Besançon
3位　　クレルモン＝フェラン　Clermont-Ferrand
4位　　マルセイユ　Marseille
5位　　モンペリエ　Montpellier
6位　　ナント　Nantes

（2017年 L'Express 誌調べ）

　見慣れない都市が上位を占めていますね。どこもそれほど人口は多くないですが、治安や住環境と就労環境のバランスがいいことが特徴だそうです。特に1位のアンジェは子育て世代への豊富な支援と保育園から大学まで就学環境が整っていることが、若い世代に人気のようです。反対にパリなどの大都市は、仕事や娯楽は多いものの家賃、物価、治安などがネックとなり、フランス人にとっては必ずしも暮らしてみたい街ではないようです。

Demande en mariage

ドゥモンドゥ　オン　マリアージュ

·········· プロポーズ

* soit → être の接続法三人称単数 p.193

Un peu de grammaire ちょっと文法

🐾 接続法

接続法は主観的な願望や感情、義務などを表すときに用いられる形で、接続詞que
の節のなかで使用します。

・接続法現在の活用形

三人称複数（ilsのとき）の語幹に、次のように活用語尾をつけます。

er動詞の現在形の活用語尾

je	- e
tu	- es
il/elle	- e	ils/elles	- ent

nous - ions
vous - iez

半過去の活用語尾と同じ

er型規則動詞の場合、nous, vous以外は直説法現在と同じ。よく使う不規則動詞
（être, avoir, aller, faire, pouvoirなど）には特殊な活用をするものもあるので気をつけ
ましょう。

いつ接続法を使うのか頭で理解するのは至難の業。会話では、そこまで頭は回りませ
ん！「この表現では接続法」と、よく使う表現型を覚えましょう。

(1) 希望、願望、感情の表現

vouloir que ＋ 接続法 「〜が・・・するのを望む」
être content(e) que ＋ 接続法 「〜が・・・なのに満足している」
コントン(トゥ)

(2) 必要の表現　　il faut que ＋ 接続法 「〜は・・・しないといけない」

(3) 「思う」（croire、penser など）の否定の場合
クロワーる　　ポンセ
je ne crois pas que ＋ 接続法、je ne pense pas que ＋ 接続法
コわ　　　　　　　　　　　　ポンス
「〜が・・・だとは思わない」

La clef 🐱 ポイント

vouloir は後ろに動詞の原形をつかえばいいのに、どうしてわざわざ接続法を使うの？
と思った方は、下の文を見てください。

a) Je veux rester à la maison.　私は家にいたい。

b) Je veux que tu restes à la maison.　きみに家にいてほしい。

a) は vouloir しているのも、rester するのも「私」です。それに対して、b) は、
vouloir しているのは「私」ですが、rester するのは「きみ」です。ほかの接続法を使
う文型でもおなじですが、それぞれの動詞で主語が違うときには、接続法を用いた節で
あらわします。

Parlons en français

ディアローグの日本語を今度はフランス語で言ってみよう！ (CD 88)

> Il est vraiment (ヴヘモン)
> pas clair ! (クレーる)

> ずっと一緒に
> いたいな。

> C'est-à-dire ? (セ タ ディーる)

> C'est-à-dire…
> On va se marier ? (ス マリエ)

> Enfin ! (アンファン)
> J'attendais depuis (ジャトンデ ドゥピュイ)
> si longtemps ! (ロントン)

> Oui !!

🐚 **On peut dire aussi...** ●こんなことも言えますね… (CD 89)

C'est trop tard… (ターる)   もう遅すぎるわ…

Où est-ce qu'on part en voyage de noces ? 新婚旅行どこに行く？
(バーふ オン ヴォワヤージュ ドゥ ノス)

🌸 **Pratique !** ●結婚にまつわる言葉

婚約指輪 une bague de fiançailles (バーグ / フィオンサイユ)   結婚指輪 une alliance (アリオンス)

結婚式 une cérémonie de mariage (セレモニー / マリアージュ)

結婚式に出席する assister à la cérémonie de mariage (アスィステ)

ウェディングドレス une robe de mariée (ろーブ / マリエ)

リスト・ドゥ・マリアージュ une liste de mariage (リストゥ)

🐱 「リスト・ドゥ・マリアージュ」というのは新郎新婦が新生活のために欲しいもののリストで、
これを見て親類友人は手分けしてプレゼントするんだ。ご祝儀代わりだけど、とっても合理的。

190

36

フランスの結婚制度

　日本では、わざわざ海外の、教会で結婚式を挙げる方もいるようですが、フランス人はみんな教会で結婚式をしているのでしょうか？答えは non。現在のように宗教が多様化する以前から、大革命後のフランスでは民事婚 mariage civil という市役所で承認された婚姻関係だけが法的に有効であるとされてきました。今でも、結婚を望むカップルは自分たちが住んでいる市役所（大都市では区役所）内の「婚姻の間」で、2人以上の証人と市長（あるいは助役など）の言葉を聞きつつ、公開でちょっとした誓いの儀式を行います。その後に教会で結婚式をあげるのも、ホテルで披露宴を行うのも、本人たちの自由です。

　ミホさん、リュックからお待ちかねのプロポーズの言葉を聞いて大喜びのようですが、フランスでは通常、カップルは早々に共同生活に入り、子供が出来たからと言って、あわてて「できちゃった婚」などしません。これは scène 10 のコラム「フランスの家族」でも触れた、法的に自由な「ユニオン・リーブル」という関係が発達しているためです。婚姻関係ほどではないにしろ、このユニオン・リーブルでもいくつかの生活上の保護や特典を受けることが出来ます（たとえば、互いに子どもを認知すれば育休も取れますし、パートナーの社会保障の受給権者になれるなどです）。若いフランス人カップルにとってとりわけ魅力的なのは、皮肉なことではありますが、ユニオン・リーブルなら複雑な離婚手続きが必要ない点でしょう。

　またフランスには PACS（連帯民事契約）と言われる、結婚とユニオン・リーブルの間のような形態もあります。これは裁判所に行って契約を結び、パクス台帳に登録してもらうと、いくつかの保護や特権が受けられるというものです。もともと婚姻が認められない同性カップルの関係を保証するために考えられた制度ですが、異性カップルの間にも広まっています。そして 2013 年、同性カップルの結婚と養子縁組みが法的に認められるようになりました。フランスではカップルのあり方がどんどん進展しているんですね。

⑴ 矢印の後は、音節を意識したキーフレーズです。発音されない字は小さくなっていますので、音節の切れ目（・）に注意して文を発音してみましょう。

J'aimerais bien avoir un appartement.

→ j'aimₑ・raiₛ・bie<u>n</u>・(n)<u>a</u>・voi・<u>r un</u>・(n)aₚ・
par・tₑ・menₜ.

Je veux qu'on soit toujours ensemble.

→ je・veuₓ qu'on・soiₜ・tou・jou・<u>rₛ en</u>・
semblₑ

⑵ さあ、つぎはキーフレーズを **CD** と同時に発音（シャドーイング）できるようになるまで練習してみましょう。

Un peu de prononciation ちょっと発音 ●e の発音

« e » の発音、アクサンがあれば「エ」と発音するのはわかったけど、アクサンがないのに「エ」と読むときもありますよね。例外もありますが、« e » の発音には３つのパターンがあります。まず単語を音節に区切ります。音節が１）« e » で終わる時は「よわいウ」（口を「ウ」の形にするぐらい）、２）« e+子音 » で終わる時は「エ」、３）語末の « e » は発音しません。

regarder 音節に分けると　→　**r<u>e</u>**・gar・d<u>er</u>
　　　　　　　　　　　　　　「ウ」　　　「エ」

　　　１）eで終わるとき → e［ウ］
　　　２）子音で終わる時 → e［エ］
　　　３）語末のe［×］ madame → ma・dam<u>e</u>

(Exercices d'écrit)　次の質問に答えましょう

(1)　文中の下線部を条件法に変え、より丁寧な表現にしてみましょう。

a. Pouvez-vous me montrer votre passeport ?

　　　パスポートを見せていただけますか？

_____

b. Je peux avoir une carafe d'eau ?

　　　カラフでお水をいただけますか。

_____

c. Je veux réserver une table pour 4 personnes pour ce soir.

　　　（レストランに）今晩、4人で予約をしたいのですが。

_____

(2)　つぎの日本語に合うようにフランス語の表現を結びつけて、文を完成させましょう。

a. 私と一緒にいてほしいわ。

b. 彼女が時間通りに来るとは思えないね。

c. もう行かなきゃ。

d. ぼくたちは彼が今晩来てくれると嬉しいよ。

> (CD 98)
> être（接続法現在）
> | je | sois（ソワ） | nous | soyons（ソワイオン） |
> | tu | sois | vous | soyez（ソワイエ） |
> | il elle | soit | ils elles | soient（ソワ） |

a. Je veux 　　　・ ・ que je parte.（パふトゥ） 　　ヒント：ils partent

b. Je ne crois pas ・ ・ que tu sois avec moi.

c. Il faut（コントン）　・ ・ qu'il vienne ce soir.（ヴィエンヌ）　ヒント：ils viennent

d. On est contents ・ ・ qu'elle arrive à l'heure.（ア　ルーる）　ヒント：ils arrivent
　　(on ＝ nous)

193

	単数		複数	
	男性	女性	男性	女性
不定冠詞	un	une	des	
定冠詞	le (l')	la (l')	les	
部分冠詞	du (de l')	da la (de l')		

	男性	女性	複数	
私の〜	mon	ma (mon)	mes	
きみの〜	ton	ta (ton)	tes	
彼の〜	son	sa (son)	ses	
彼女の〜	son	sa (son)	ses	
私たちの〜	notre		nos	
あなたの〜	votre		vos	
あなたたちの〜	votre		vos	
彼らの〜	leur		leurs	
彼女らの〜	leur		leurs	

	男性	女性	複数男性	複数女性
この〜、あの〜	ce (cet)	cette	ces	
どの〜、何	quel	quelle	quels	quelles

1	un/une	28	vingt-huit
2	deux	29	vingt-neuf
3	trois	30	trente
4	quatre	31	trente et un(e)
5	cinq	32	trente-deux
6	six	40	quarante
7	sept	41	quarante et un(e)
8	huit	42	quarante-deux
9	neuf	50	cinquante
10	dix	51	cinquante et un(e)
11	onze	52	cinquante-deux
12	douze	60	soixante
13	treize	61	soixante et un(e)
14	quatorze	62	soixante-deux
15	quinze	70	soixante-dix
16	seize	71	soixante et onze
17	dix-sept	72	soixante-douze
18	dix-huit	80	quatre-vingts
19	dix-neuf	81	quatre-vingt-un(e)
20	vingt	82	quatre-vingt-deux
21	vingt et un(e)	90	quatre-vingt-dix
22	vingt-deux	91	quatre-vingt-onze
23	vingt-trois	92	quatre-vingt-douze
24	vingt-quatre	100	cent
25	vingt-cinq	101	cent-un
26	vingt-six	1000	mille
27	vingt-sept	10000	dix-mille

単語集

第一群規則動詞（er動詞）以
外の動詞は見出しのあと、
カッコ内に過去分詞が表記
してあります。

〔名〕名詞　〔男〕男性名詞　〔女〕女性名詞　〔複数〕複数形
〔代名〕代名詞　〔形〕形容詞　〔他動〕他動詞　〔自動〕自動詞
〔代名動〕代名動詞　〔間投〕間投詞　〔前〕前置詞　〔副〕副詞
〔接〕接続詞

—————— • A • ——————

abord〔男〕	
• d'abord	まず、まずは
accepter〔他動〕	を受け入れる、を認める
acheter〔他動〕	を買う
actuel, actuelle〔形〕	現在の
adorer〔他動〕	が大好きである
âge〔男〕	年齢、年
agence〔女〕	代理店、（銀行などの）支店
• agence immobilière	不動産屋
agneau〔男〕	子羊
agréable〔形〕	気持ちいい
aider〔他動〕	を助ける、手伝う
aimer〔他動〕	が好きだ、を愛してる
air〔男〕	様子、顔つき、態度 → avoir l'air
aller (allé)〔自動〕	行く、〜しに行く
• ça va ?	元気?、大丈夫?
• ça va aller	大丈夫だよ、何とかなるよ
• tu vas bien ? / vous allez bien ?	調子はどう? お元気ですか?
allô〔間投〕	もしもし
alors〔副〕	それじゃあ、その時
ami, amie〔名〕	友達、（とくに所有形容詞とともに）恋人
amoureux, amoureuse (de ~)〔形〕	（〜に）恋している
• tomber amoureux (de ~)	（〜と）恋に落ちる、（〜に）恋する
amuser〔他動〕	を楽しませる
• s'amuser〔代名動〕	楽しむ
an〔男〕	年、歳
anglais〔男〕	英語
année〔女〕	（暦上の）年
anniversaire〔男〕	誕生日、（毎年の）記念日
août〔男〕	8月
appartement〔男〕	マンション、アパルトマン
appeler〔他動〕	に電話する、を呼ぶ
• …s'appeler ~〔代名動〕	…の名前は〜です
appétit〔男〕→ bon appétit	
apprendre (appris)〔他動〕	を学ぶ、を習う
après〔前〕	（時間的に）〜の後に、後で
après-demain〔副〕	明後日
après-midi〔男/女〕	午後
argent〔男〕	お金
arriver〔自動〕	到着する、着く
asseoir〔他動〕	
• s'asseoir〔代名動〕	座る
• assieds-toi / asseyez-vous	どうぞ座って／どうぞお座りください
assez〔副〕	かなり
assiette〔女〕	皿、小皿
assister (à ~)〔他動〕	（〜に）出席する
assortiment〔男〕	一揃い、一式、盛り合わせ
attendre (attendu)〔他動〕	を待つ、期待する
attention〔女〕	注意、関心
aujourd'hui〔副〕	今日

aussi〔副〕	～もまた、～も	besoin〔男〕	必要、要求
autant〔副〕			→ avoir besoin de
• autant que	～同様に、 ～と同じだけ	bien〔副〕	よく、上手に
		bientôt〔副〕	まもなく
automne〔男〕	秋	bienvenue〔間投〕	ようこそ
autre〔形〕	別の、ほかの	bière〔女〕	ビール
avant〔前〕	（時間的に）～の 前に、～までに	billet〔男〕	札、チケット（札 状のもの）
avant-hier〔副〕	一昨日、おととい	bleu, bleue〔形〕	青い、ブルーの
avec〔前〕	～と一緒に	bœuf〔男〕	牛肉
avenir〔男〕	将来	bof〔間投〕	イマイチ（親しい間 柄で、使いましょう）
avion〔男〕	飛行機		
• en avion	飛行機で	boire (bu)〔他動〕	を飲む
avoir (eu)〔他動〕	～を持つ	boisson〔女〕	飲み物
• avoir besoin de ~	～する必要がある、 ～しないといけない	bol〔男〕	お碗
		bon〔間投〕	よし、さてと（話 題の切り替え）
• avoir chaud	暑い		
• avoir envie de ~	～したい	bon, bonne〔形〕	1．よい
• avoir faim	お腹が空いた		2．おいしい
• avoir froid	寒い	• bon appétit	どうぞ召し上がれ
• avoir l'air ~	～に見える	• bonne journée	よい一日を
• avoir mal à + 身体の部位	～が痛い	• bonne soirée	よい夕べを
• avoir soif	喉が渇いた	• bonnes vacances	よいヴァカンスを
• avoir sommeil	眠い	bonjour〔男〕	おはよう（ございま す）、こんにちは
• il y a ~〔非人称〕	～がある		
avril〔男〕	4月	bonsaï, bonzaï〔男〕	盆栽
		bonsoir〔男〕	こんばんは
━━━ • B • ━━━		bouché, bouchée〔形〕	つまっている
		bouger〔自動, 他動〕	動く、を動かす、 移動させる
bague〔女〕	指輪		
baguette〔女〕	（棒状のもの→） 1．（パンの）バゲット 2．〔複〕箸	boule〔女〕	球
		• boule de riz japonaise〔女〕	
			おにぎり（日本の ライスボール）
bain〔男〕	風呂		
banque〔女〕	銀行	bouteille〔女〕	びん
bas, basse〔形、男〕	低い、下の方	boutique〔女〕	店、小売店
• en bas	下で、下に	bouton〔男〕	ボタン
baseball〔男〕	野球	brosse〔女〕	ブラシ
bateau〔男〕	船	• brosse à dents〔女〕	歯ブラシ
• en bateau	船で	bus〔男〕	バス
beau, belle〔形〕	美しい、立派な	• en bus	バスで
beaucoup〔副〕	たくさん		

ça 〔代名〕　　　　　それ
• ça a l'air bon　　　おいしそう
• ça marche　　　　（機械などが）動作する、
　　　　　　　　　　（物事が）うまくいく
• ça va ?　　　　　　→ aller
• ça va aller　　　　→ aller
• ça y est　　　　　→ être
cadeau 〔男〕　　　　プレゼント、
　　　　　　　　　　贈り物
café 〔男〕　　　　　コーヒー（エスプレッ
　　　　　　　　　　ソ）、カフェ（喫茶店）
calmer 〔他動〕　　　（感情など）を鎮める、
　　　　　　　　　　を落ち着かせる
• se calmer 〔代名動〕　落ち着く、
　　　　　　　　　　冷静になる
Canada 〔男〕　　　　カナダ
carafe 〔女〕　　　　カラフ
carte 〔女〕　　　　　カード、メニュー、
　　　　　　　　　　地図
caution 〔女〕　　　　保証金
cave 〔女〕　　　　　酒蔵
ce 〔代名〕　　　　　それ（êtreの主語）
cérémonie 〔女〕　　儀式、式典
cerise 〔女〕　　　　さくらんぼ
cerisier 〔男〕　　　桜
chaîne 〔女〕　　　　チャンネル
chambre 〔女〕　　　寝室
champagne 〔女〕　　シャンパン
chance 〔女〕　　　　運、機会、
　　　　　　　　　　チャンス
changer 〔他動〕　　変える
• changer de ~　　　～を変える
chat 〔男〕　　　　　ねこ
château 〔男〕　　　城
chaud, chaude 〔形〕　熱い、暑い
　　　　　　　　　　→ avoir chaud
chaussures 〔女・複数〕　靴
cher, chère 〔形〕　　1．親愛なる
　　　　　　　　　　2．（金額が）高い
• pas cher 〔形〕　　　安い

cheveux 〔男・複数〕　髪
chez 〔前〕　　　　　～の家に、で
chien 〔男〕　　　　　犬
chinois, chinoise 〔形〕　中国の、中華の
chocolat 〔男〕　　　チョコレート
choisir(choisi) 〔他動〕　を選ぶ
chose 〔女〕　　　　物
ciao 〔間投〕　　　　バイバイ
clair, claire 〔形〕　明るい、明瞭な
clef, clé 〔女〕　　　鍵
combien 〔副〕　　　いくら、いくつ
• combien de ＋ 無冠詞名詞　いくつの～
comme 〔接〕　　　　～のように、
　　　　　　　　　　～として
commencer 〔他動〕　を始める
• commencer à ~　　～し始める
comment 〔副〕　　　どうやって、
　　　　　　　　　　どのような
• Comment allez-vous ?
　　お元気ですか？ご機嫌いかがですか？
comprendre (compris) 〔他動〕
　　　　　　　　　　を理解する
conditionnel 〔男〕　条件法
connaître (connu) 〔他動〕
　　（人、名前、場所など）を知っている
• se connaître 〔代名動〕　（互いに）知り合う
content, contente 〔形〕　満足している、
　　　　　　　　　　うれしい
coréen、coréenne 〔形〕　韓国の、朝鮮の
côté 〔男〕　　　　　側、方面
• à côté (de ~)　　　（～の）隣に
coucher 〔他動〕　　を寝かせる
• se coucher 〔代名動〕　寝る、横になる
couler 〔自動〕　　　流れる
course 〔女〕　　　　用事、お使い
　　　　　　　　　　→ faire des courses
croire (cru) 〔他動〕　を思う
croissant 〔男〕　　　クロワッサン
cru, crue 〔形〕　　　生の
cuisine 〔女〕　　　　1．料理
　　　　　　　　　　→ faire la cuisine
　　　　　　　　　　2．台所、キッチン

curieux、curieuse〔形〕 奇妙な、
好奇心のある

―――――・D・―――――

dans〔前〕 ～のなかに、～で
danser〔自動〕 ダンスする
daurade〔女〕 鯛
de〔前〕 ～の、～から
décembre〔男〕 12月
déguster〔他動〕 を試飲する、
試食する
dehors〔副〕 外に、戸外で
déjà〔副〕 すでに
déjeuner〔男〕 昼食、ランチ
déjeuner〔自動〕 昼食をとる
délicieux, délicieuse〔形〕 とてもおいしい
demain〔副〕 明日
demi, demie〔形〕 半分
• et demie （時間）～時半
dent〔女〕 歯
depuis〔前〕 ～前から、～以来
dernier, dernière〔形〕 この前の、最後の
désert〔男〕 砂漠
désolé, désolée〔形〕 すみません、
ごめんなさい
dessert〔男〕 デザート
devant〔前〕 （位置が）～の前に
devenir (devenu)〔自動〕 になる
dialogue〔男〕 対話、セリフ、
会話部分
dimanche〔男〕 日曜日
dîner〔男〕 夕食、ディナー
dîner〔自動〕 夕食をとる
dire (dit)〔他動〕 と言う
• ça te dit de + 動詞の原形
～するのはどう?
• ça vous dit de + 動詞の原形
～するのはどうですか?
• c'est-à-dire つまり
• se dire〔代名動〕 （物が主語で）
言われる

donner〔他〕 を与える
dormir (dormi)〔自動〕 眠る
dos〔男〕 背中
douche〔女〕 シャワー

―――――・E・―――――

eau〔女〕 水
• eau chaude お湯
école〔女〕 学校
économie〔女〕 経済、節約
→ faire des économies
écouter〔他動〕 を聞く
église〔女〕 教会
emmener〔他動〕 連れて行く
employé, employée〔名〕 会社員、従業員
emporter〔他動〕 を持ち帰る、
持って行く
enchanté, enchantée〔形〕 はじめまして、
どうぞよろしく
encore〔副〕 また、もう一度
enfant〔名〕 子ども
enfin〔副〕 やっと、最後に
enlever〔他動〕 （靴や衣類）を脱ぐ
ensemble〔副〕 一緒に
entre〔前〕 ～間で、間に
entrer〔自動〕 入る
envie〔女〕 欲望、欲求
→ avoir envie de
espèce〔女〕
• en espèces 現金で
essayer〔他動〕 を試す
estomac〔男〕 胃
États-Unis〔男・複数〕 アメリカ合衆国
été〔男〕 夏
être (été)〔自動〕 ～である、
～にいる、ある
• c'est ~ それは～です
• ça y est! よし、できた!
（待っていたものが）
来た!
• n'est-ce pas? ～じゃない?

199

étudiant, étudiante〔名〕	大学生	• fils unique	一人息子
étudier〔他動〕	を勉強する	fin, fine〔形〕	薄い、細かい、
eux〔代名（強勢形）〕	彼ら		細い
exagérer〔他動〕	を大げさに言う、	finir (fini)〔自動、他動〕	終わる、を終える
	誇張する	fleur〔女〕	花
excursion〔女〕	お出かけ	• en fleurs	花盛りの
express〔男〕	急行列車	fois〔女〕	～回
		• à la fois	一度に

———————— • F • ————————

		fonctionnaire〔名〕	公務員
		foot(ball)〔男〕	サッカー
façon (de)〔女〕	（～の）方法、	fort, forte〔形〕	（力が）強い、
	仕方、やり方		味が濃い
faim〔女〕	空腹、飢え	frais, fraîche〔形〕	涼しい、冷えた
	→ avoir faim	fraise〔女〕	いちご
faire (fait)〔他動〕	をする、作る	français〔男〕	フランス語
• faire des courses	（食品や日用品など	• en français	フランス語で
	の）買い物をする	français, française〔形〕	フランスの
• faire des économies	節約する	Français, Française〔名〕	フランス人
• faire la cuisine	料理をする	frère〔男〕	兄弟
• faire la lessive	洗濯する	frigo〔男〕	冷蔵庫
• faire la vaisselle	皿洗いをする	froid, froide〔形〕	冷たい、寒い
• faire le ménage	掃除をする		→ avoir froid
falloir (fallu)〔動（非人称）〕	～しなければならない	fromage〔男〕	チーズ
• il faut + 名詞、動詞の原形〔非人称〕		fruit〔男〕	フルーツ
	～が必要だ、	futon〔男〕	ふとん
	～しなければならない		

———————— • G • ————————

famille〔女〕	家族		
fan〔名〕	ファン	gagner〔自動、他動〕	を得る、に勝つ
femme〔女〕	1. 妻	gai, gaie〔形〕	陽気な、愉快な
	2.（一般に）女性	galette〔女〕	（菓子）クッキー、
fermer〔他動〕	を閉める		平たく焼いたケーキ
fête〔女〕	祝祭、パーティ、	garçon〔男〕	男の子、男子
	飲み会	gare〔女〕	（鉄道の）駅
• fête foraine	お祭り	gâteau〔男〕	ケーキ、お菓子
feu〔男〕	火	génial〔形〕	すばらしい、
février〔男〕	2月		すごい
fille〔女〕	1. 娘	gentil, gentille〔形〕	親切な、やさしい
	2.（一般に）女の子、	golf〔男〕	ゴルフ
	女子	goûter〔他動〕	を味見する、
• fille unique	一人娘		味わう
film〔男〕	映画		
fils〔男〕	息子	grand, grande〔形〕	大きい

gratuit, gratuite〔形〕 無料の
gros, grosse〔形〕 太っている
guitare〔女〕 ギター

━━━━━━ • H • ━━━━━━

habiter〔自動、他動〕 住む
haricot〔男〕 インゲン豆
heure〔女〕 時間、〜時
• à … heure(s) 〜時に
• il est … heure(s)〔非人称〕 今〜時です
hier〔副〕 昨日
hiver〔男〕 冬
homme〔男〕 男、人
hôtel〔男〕 ホテル
humide〔形〕 ジメジメしている、
 湿度の高い

━━━━━━ • I • ━━━━━━

ici〔副〕 ここ
idée〔女〕 アイディア、考え
incroyable〔形〕 信じられない
indicatif〔男〕 直説法
infinitif〔男〕 不定法
 （動詞の原形）
inquiéter〔他動〕 を心配させる
• s'inquiéter〔代名動〕 心配する
instant〔男〕 一瞬、瞬間
• (attends) un instant ! ちょっと待って!
intelligent, intelligente〔形〕
 頭のよい
intéressant, intéressante〔形〕
 興味深い
Internet〔男〕 インターネット
• sur Internet インターネット(上)で
inventer〔他動〕 を考え出す、
 発案する、
 発明する
inviter〔他動〕 を招待する、
 にごちそうする
italien, italienne〔形〕 イタリアの

━━━━━━ • J • ━━━━━━

jamais〔副〕 一度も〜ない、
 決して〜ない
 → ne
janvier〔男〕 1月
japonais〔男〕 日本語
• en japonais 日本語で
japonais, japonaise〔形〕日本の
Japonais, Japonaise〔名〕日本人
jardin〔男〕 庭、庭園
jeudi〔男〕 木曜日
jeune〔形〕 若い
jogging〔男〕 ジョギング
joli, jolie〔形〕 きれい、
 かわいい
jouer〔他動〕 プレイする、遊ぶ
jour〔男〕 日、一日、曜日
journal〔男〕 新聞
juillet〔男〕 7月
juin〔男〕 6月

━━━━━━ • L • ━━━━━━

là〔副〕 そこ
laisser〔他動〕 を残す、
 そのままにしておく
lait〔男〕 牛乳
lavabo〔男〕 洗面所
léger, légère〔形〕 軽い
lessive〔女〕 洗濯
 → faire la lessive
livre〔男〕 本
loin〔副〕 遠くに
• loin de 〜から遠い
long, longue〔形〕 長い
longtemps〔副〕 長い間、長らく
lundi〔男〕 月曜日
lunettes〔女・複数〕 眼鏡
lycéen, lycéenne〔名〕 高校生

・M・

ma + 女性単数名詞〔形(所有)〕	私の
machine〔女〕	機械、装置
madame〔女〕	～さん(女性に対する敬称)、(単独で)女性への呼びかけ
mademoiselle〔女〕	～さん(子どもや若い女性に対する敬称)、(単独で)若い女性への呼びかけ
magasin〔男〕	店
magnifique〔形〕	すばらしい
mai〔男〕	5月
mail〔男〕	メール
mais〔接〕	しかし、でも
maison〔女〕	家、一戸建て
mal〔男〕	痛み、苦痛、不幸、悪
mal〔副〕	悪く、ヘタに、不十分に
maman〔女〕	ママ、お母さん
manger〔他動〕	を食べる
manger〔自動〕	食べる、食事をする
• se manger〔代名動〕	(物が主語で)食べられる
maquillage〔男〕	化粧、メイク
marcher〔自動〕	歩く
• ça marche	(機械などが)動作する、(物事が)うまくいく
mardi〔男〕	火曜日
mari〔男〕	夫
mariage〔男〕	結婚
marier〔他〕	結婚させる
• se marier〔代名動〕	結婚する
marron〔形・不変〕	茶色の
mars〔男〕	3月
match〔男〕	試合
• match nul〔男〕	引き分け
matin〔男〕	午前中、朝
mauvais, mauvaise〔形〕	悪い
méchant, méchante〔形〕	意地悪な、(子どもやペットが)聞き分けのない
meilleur, meilleure〔形〕	よりよい、よりおいしい
membre〔男〕	一員、メンバー
ménage〔男〕	家事、掃除 → faire le ménage
merci〔男〕	ありがとう
• merci beaucoup	どうもありがとう
mercredi〔男〕	水曜日
mère〔女〕	母、母親
• mère de famille〔女〕	主婦
mes + 男女複数名詞〔形(所有)〕	私の
météo〔女〕	天気予報
midi〔男〕	正午、真昼、昼
mieux〔副〕	より上手に、よりよく
mignon, mignonne〔形〕	かわいい
mille〔形・不変〕	1000
mille-feuille〔男〕	(菓子)ミルフィーユ
mince〔形〕	やせている
minuit〔男〕	真夜中、午前0時
minute〔女〕	分
moi〔代名(強勢形)〕	私
moins〔副〕	より少なく、より～でなく、(時間)～前
• au moins	少なくとも、せいぜい
• moins le quart	→ quart
mois〔男〕	月
mon + 男性単数名詞〔形(所有)〕	私の
monsieur〔男〕	～さん(男性に対する敬称)、(単独で)男性への呼びかけ
mont-blanc〔男〕	(菓子)モンブラン
montagne〔女〕	山
montrer〔他動〕	を見せる、示す

morceau〔男〕 一片、一塊
• un morceau de ~ ひとかたまりの〜
mourir (mort)〔自動〕 死ぬ

━━━━━━ • N • ━━━━━━

naître (né)〔自動〕 生まれる
natation〔女〕 水泳
ne〔副〕 (pasと一緒に
用いて)〜ない
• ne ~ jamais 一度も〜ない、
決して〜ない
• ne ~ personne 誰も〜ない
• ne ~ plus もはや〜ない、
もう〜ない
• ne ~ que... …しかない
• ne ~ rien 何も〜ない
neiger〔自動〕 雪が降る
noce〔女〕 婚礼
Noël〔男〕 クリスマス
nom〔男〕 名前、名詞
• nom féminin〔男〕 女性名詞
• nom masculin〔男〕 男性名詞
non〔副〕 (否定)いいえ、
違います、ダメだ
nouveau (nouvel), nouvelle〔形〕
新しい
novembre〔男〕 11月
nuageux, nuageuse〔形〕曇っている
numéro〔男〕 番号
• numéro de portable 携帯番号

━━━━━━ • O • ━━━━━━

occupé, occupée〔形〕 使用中の、
忙しい
octobre〔男〕 10月
œuf〔男〕 たまご
offrir (offert)〔他動〕 贈る、与える
oignon〔男〕 玉ねぎ
on〔代名〕
(主語)1. 人は(人一般を指す)

2.(会話でnousの代わりに)私たちは
oncle〔男〕 おじさん
ou〔接〕 あるいは、または、
それとも
où〔副〕 どこ
oui〔副〕 (肯定)はい、
そうです
ouvert, ouverte〔形〕 開いている、
開店している

━━━━━━ • P • ━━━━━━

pain〔男〕 パン
papa〔男〕 パパ、お父さん
par〔前〕 〜によって、
〜を通って
• par là そこから
parapluie〔男〕 傘
parent, parente〔名〕 親、(複数で)両親
parfait, parfaite〔形〕 完璧
parfois〔副〕 時折、時々、
時には
parler〔他動〕 を話す
• parler de ~ 〜について話す
• parler à + 人 〜と話す
part〔女〕 部分
• une part de ~ 1個の〜
partager〔他動〕 を分ける
partir (parti)〔自動〕 出発する、
出かける
pas〔副〕 (ne とともに)
〜ない
• (ne) pas du tout 全然〜じゃない、
(単独で使って)
全然ちがいます
• (ne) pas mal いいですね
passeport〔男〕 パスポート
passer〔他動〕 を渡す、
(時)を過ごす
passionné, passionnée〔形〕
熱狂的な、
夢中の

pâtisserie 〔女〕	菓子・ケーキ屋、	plus 〔副〕	
	お菓子、ケーキ	1.（比較級、最上級）より多く	
pâtissier, pâtissière 〔名〕	パティシエ	2. もはや〜ない、もう〜ない → ne	
	（お菓子職人）	poison 〔男〕	毒
patron, patronne 〔名〕	（店の）経営者、	poisson 〔男〕	魚
	店主	• poisson rouge 〔男〕	金魚
payant, payante 〔形〕	有料の	pomme 〔女〕	リンゴ
payer 〔他動〕	（料金など）	populaire 〔形〕	人気の
	を支払う	portable 〔形〕	携帯用の
pêche 〔女〕	釣り	• téléphone portable 〔男〕	携帯電話
pêcher 〔他動〕	を釣る	porte 〔女〕	ドア
pêcheur, pêcheuse 〔名〕	釣り人	poste 〔女〕	郵便局
penser 〔他動〕	を思う、考える	pour 〔前〕	〜のために（目的）、
• penser à ~	〜のことを思って		〜に対して、
	いる、考えている	pourquoi 〔副〕	なぜ
pépé 〔男〕	おじいちゃん	• pourquoi pas	もちろん
perdre (perdu) 〔他動〕	を失う、に負ける	pouvoir (pu) 〔他動〕	〜することができる、
père 〔男〕	父、父親		〜しうる
personne 〔代名〕	誰も〜ない → ne	préférer 〔他動〕	をより好む
petit, petite 〔形〕	小さい	prendre (pris) 〔他動〕	を取る、
petit(-)déjeuner 〔男〕	朝食		注文する、乗る
peu 〔副〕	あまり〜ない、	préparer 〔他動〕	を準備する
	ほとんど〜ない	près 〔副〕	近くに
• un peu	少し	• près de	〜の近くに
peut-être 〔副〕	多分	présenter 〔他動〕	を紹介する
pharmacie 〔女〕	薬局	presque 〔副〕	ほとんど
photo 〔女〕	写真	prêt, prête 〔形〕	準備ができた、
piano 〔男〕	ピアノ		支度が整った
pièce 〔女〕	部屋、間	printemps 〔男〕	春
pied 〔男〕	足	prochain, prochaine 〔形〕	次の、今度の
• à pied	徒歩で	proche 〔形〕	近い
pique-nique 〔男〕	ピクニック	profession 〔女〕	職業
place 〔女〕	場、席	promenade 〔女〕	散歩
plaire (à ~)(plu) 〔他動〕	（は〜の）気に入る、	promotion 〔女〕	販売促進、昇進
	（〜の）好みだ	• en promotion	（スーパーやお店で）
• s'il te plaît / s'il vous plaît			売出し、安売り
	お願い／お願いします	prune 〔女〕	梅、プラム
plat 〔男〕	料理、	puis 〔副〕	それから
	メインディッシュ		
pleuvoir (plu) 〔動（非人称）〕	雨が降る	━━━━ • Q • ━━━━	
pluie 〔女〕	雨		
pluriel 〔形〕	複数形	qu'est-ce que 〔代名〕	何、何を

• qu'est-ce que c'est ? それは何ですか
quand〔副〕 いつ
quart〔男〕 4分の1
• et quart （時間）〜時15分
• moins le quart （時間）15分前
que〔接〕
　　1.（さまざまな節を導く）
　　2.（neとともに）〜しかない → ne
que〔代名〕 何、何を
quel, quelle〔形〕 どの、何
quelqu'un, quelqu'une〔代名〕 誰か
quelque chose〔代名〕 何か
• quelque chose de + 形容詞
　　　　　　　　 何か〜のもの
qui〔代名〕 誰、誰が、誰を
quoi〔代名〕（queの強勢形）何、何を

━━━━━━ • R • ━━━━━━

rapide〔形〕 速い、高速の
rapidement〔副〕 速く
recette〔女〕 レシピ
réchauffer〔他動〕 （冷めたものを）
　　　　　　　 温める、温め直す
reçu〔男〕 領収書
regarder〔他動〕 を見る
reins〔男・複数〕 腰
rencontrer〔他動〕 に出会う
• se rencontrer〔代名動〕（互いに）出会う
rentrer〔自動〕 帰る、戻る
répéter〔他動〕 を繰り返す
réserver〔他動〕 を予約する
restaurant〔男〕 レストラン
rester〔自動〕 （同じ場所に）
　　　　　　　 とどまっている
retraité, retraitée〔名〕 年金生活者
réussir (réussi)〔他動〕 に成功する、
　　　　　　　 うまくいく
rêve〔男〕 夢
revoir〔男〕 再会
• au revoir さようなら
rien〔代名〕（neとともに）何も〜ない → ne

• de rien
riz〔男〕 米、ご飯
robe〔女〕 ドレス、ワンピース
rosbif〔男〕 ローストビーフ
rouge〔形〕 赤い、赤の

━━━━━━ • S • ━━━━━━

sa + 女性単数名詞〔形(所有)〕彼の、彼女の
sac〔男〕 鞄
saison〔女〕 季節
salé, salée〔形〕 しょっぱい、
　　　　　　　 塩味のついた
salle〔女〕 部屋
• salle de bain〔女〕 風呂場
samedi〔男〕 土曜日
sanctuaire shinto〔男〕 神社
sandwich〔男〕 サンドイッチ
sans〔前〕 〜なしに
sauce〔女〕 ソース
• sauce (de) soja〔女〕 醤油
sec, sèche〔形〕 （アルコールの味
　　　　　　　 について）辛口
séché, séchée〔形〕 干した、乾いた
séjour〔男〕 1.滞在
　　　　　　　 2.リヴィング、居間
sel〔男〕 塩
semaine〔女〕 週
séparément〔副〕 別々に、分けて
septembre〔男〕 9月
serviette〔女〕 タオル
servir (servi)〔他動〕
　　　　1.に奉仕する、手助けする
　　　　2.に食事などを出す
• servir à 〜 は〜するのに役立つ
ses + 男女複数名詞〔形(所有)〕
　　　　　　　 彼の、彼女の
sieste〔女〕 昼寝
signe〔男〕 記号、しるし
sœur〔女〕 姉妹
soif〔女〕 喉の渇き
　　　　　　　 → avoir soif

205

soir〔男〕 夕方、晩

sommeil〔男〕 眠気、睡眠

→ avoir sommeil

son + 男性単数名詞〔形（所有）〕

彼の、彼女の

sortir (sorti)〔自動〕 外出する

sous-titre〔男〕 字幕

se souvenir(souvenu)〔代名動〕

• se souvenir de ~ ～を覚えている

souvent〔副〕 しばしば、
しょっちゅう

sport〔男〕 スポーツ

star〔女〕 スター

station〔女〕 地下鉄の駅

statue〔女〕 像

stylo〔男〕 ペン

subjonctif〔男〕 接続法

super〔形〕 すごい

supérette〔女〕 （小さなスーパー→）
コンビニ

supermarché〔男〕 スーパーマーケット

sûr〔形〕（de ~） ～については確
かだ、確実だ

• bien sûr もちろん

sympathique (= sympa)〔形〕 感じがいい、
気持ちのいい

━━━━━━ • T • ━━━━━━

ta + 女性単数名詞〔形（所有）〕 きみの

table〔女〕 テーブル

• à table ! ご飯ですよ!

tant〔副〕 そんなに、
それほど、

• tant de ~ それほどたくさ
んの～

tard〔副〕 遅く

tarte〔女〕 タルト

taxi〔男〕 タクシー

• en taxi タクシーで

téléphoner〔他動〕 電話する

temple〔男〕 寺

temps〔男〕 1．時間
2．天気

• de temps en temps 時々

tennis〔男〕 テニス

tes + 男女複数名詞〔形（所有）〕 きみの

tête〔女〕 頭

têtu, têtue〔形〕 ガンコ

thé〔男〕 紅茶、お茶

théâtre〔男〕 劇場

tiens, tenez
（人に何か差し出す時に）はい、ほら、どうぞ

toi〔代名（強勢形）〕 きみ

toilettes〔女・複数〕 トイレ

tomber〔自動〕 落ちる、転ぶ

→ amoureux

ton + 男性単数名詞〔形（所有）〕 きみの

tôt〔副〕 早く

toujours〔副〕 いつも

tour〔女〕 塔、タワー

tout, toute, tous〔代名、形、副〕

すべてのもの、
すべての

• tout de suite〔副〕 すぐに

• tous les matins 毎朝

• tous les soirs 毎晩

train〔男〕 電車

tranche〔女〕 薄切り、1切れ

• un tranche de ~ 1切れの～

travailler〔自〕 仕事をする、
勉強する

très〔副〕（後ろに副詞、形容詞をともなって）
とても

trop〔副〕 ～すぎ（程度が
過剰なこと）

trouver〔他〕 を見つける

tutoyer〔他動〕 と tu で話す

━━━━━━ • U • ━━━━━━

unique〔形〕 唯一の

utiliser〔他動〕 を使う

• V •

vacances〔女、複〕	バカンス、休暇
	→ Bonnes vacances
vaisselle〔女〕	食器洗い
	→ faire la vaisselle
vélo〔男〕	自転車
• à vélo	自転車で
vendredi〔男〕	金曜日
venir (venu)〔自動〕	来る
verre〔男〕	グラス
ville〔女〕	市、街
vin〔男〕	ワイン
• vin de riz japonais〔男〕	日本酒
visite〔女〕	見学、訪問
visiter〔他動〕	訪れる
vite〔副〕	早く、速く
voilà〔副〕	ほら
voir (vu)〔他動〕	～を目にする、
	見る、～に会う
• se voir〔代名動〕	（互いに）会う
• tu vois / vous voyez	

ほらね、わかったでしょ／おわかりになりましたか

voisin, voisine〔名〕	隣人
voiture〔女〕	車
• en voiture	車で
vos＋複数名詞〔形（所有）〕	あなたの
votre＋単数名詞〔形（所有）〕	あなたの
vouloir (voulu)〔他動〕	がほしい、～したい
vous〔代名（強勢形）〕	あなた、あなた
	たち、きみたち
vouvoyer〔他動〕	とvousで話す
voyage〔男〕	旅行
• voyage de noces〔男〕	新婚旅行
• partir en voyage	旅に出る
vrai, vraie〔形〕	本物の、本当の
vraiment〔副〕	本当に

• W •

week-end, weekend〔男〕	週末

• Y •

yeux〔男・複数〕	目
	cf. 単数形は œil
yoga〔男〕	ヨガ

• Z •

zut〔間投〕	しまった、ちぇっ

Exercices d'écrit 解答

Scènes 1-2   p. 23

(1) **a.** Salut ! — Salut !

  b. Comment allez-vous ?
    — Très bien, merci. Et vous ?

  c. Au revoir. — Au revoir. A bientôt.

  d. Bonne soirée! — Merci, à vous aussi!

  e. Ça va ? — Oui, oui, ça va. Et toi ?

Salut ! と言われたらsalut !、au revoir と言われたらau revoir と、あいさつは同じことを繰り返すと、まず無難に答えられますね。

(2) **a.** （例）Salut ! Moi, c'est Satoshi.

  b. （例）Bonjour, je m'appelle Sakiko.
    Enchantée !

  c. （例）Pas mal. Et toi ?

  d. （例）Je vais bien merci. Et vous ?

Scènes 3-4   p. 33

(1) **a.** Je **b.** Elle **c.** Tu **d.** Vous

(2) **a.** est / suis **b.** êtes **c.** es **d.** est

(3) **a.** la **b.** le **c.** la **d.** les **e.** l'

Scènes 5-6   p.43

(1) **a.** Cest bon. **b.** C'est gentil.

  c. C'est cher. **d.** C'est agréable.

(2) **a.** Ce n'est pas bon.

  b. Ce n'est pas gentil.

  c. Ce n'est pas cher.

  d. Ce n'est pas agréable.

(3) **a.** votre **b.** sa **c.** mes

Scènes 7-8   p. 53

(1) **a.** une **b.** un **c.** un **d.** une **e.** une

(2) **a.** des bouteilles **b.** des fils

  c. des chats **d.** des filles

  e. des assiettes

(3) **a.** du **b.** du **c.** du **d.** de la **e.** de l'

(4) **a.** C'est un chat.

  b. Ce sont des macarons.

  c. C'est du vin. /
    C'est une bouteille de vin.

Scènes 9-10   p. 63

(1) **a.** avons **b.** avez **c.** a **d.** a

(2) **a** Bonjour, vous avez des croissants ?
    こんにちは、クロワッサンはありますか？

  b. Tu as quel âge ? きみはいくつ？

  c. Zut, il n'y a pas de bière !
    しまった、ビールがない!

  d. J'ai deux enfants, un fils et une fille.
    私は二人こどもがいます、息子と娘です。

(3) **a.** Vous n'avez pas de téléphone portable ?
    携帯電話を持ってないんですか？

  b. Il n'y a pas de thé dans le frigo.
    冷蔵庫の中にお茶はありません。

  c. Je n'aime pas les chiens.
    私は犬は好きじゃありません。

Scènes 11-12   p. 73

(1) **a.** grand **b.** sympathiques

  c. grosse / belle **d.** têtu / méchant

(2) **a.** aimez **b.** habite **c.** jouent

Scènes 13-14   p. 83

(1) **a.** fais **b.** fait **c.** faites **d.** fait

(2) **a.** toi **b.** moi **c.** eux

(3) **a.** Servez-vous
    ご自由にお取りください。

  b. Fermez la porte, s.v.p.
    ドアをしめてください。

  c. Asseyez-vous.
    おかけください。

Scènes 15-16   p. 93

(1) **a.** Est-ce que vous avez des enfants ?

  b. Est-ce qu'il est français ?

  c. Est-ce que tu aimes les films français ?

(2) **a.** quoi **b.** quand **c.** où **d.** qui

(3) **a.** Qu'est-ce que tu fais demain soir ?
    明日の晩、何するの？

  b. Pourquoi voulez-vous dormir dans un
    futon ?
    どうしてふとんで寝たいんですか？

  c. Est-ce qu'il aime le bain japonais ?
    彼は日本のお風呂は好きですか？

208

Scènes 17-18 p. 103

(1) **a.** cette photo   **b.** cet appartement
c. ce cadeau   **d.** ces photos
e. ces appartements   **f.** ces cadeaux

(2) **a.** veux   **b.** peux   **c.** veulent   **d.** peut

Scène 19-20 p. 113

(1) **a.** vais   **b.** allez / va
c. venez   **d.** Viens

(2) **a.** prends   **b.** prend
c. prennent   **d.** prend

Scène 21-22 p. 123

(1) **a.** plus   **b.** jamais
c. personne   **d.** que

(2) **a.** combien   **b.** combien de temps
c. combien de kilos

(3) **a.** choisis
b. finir
c. réussit

Scène 23-24 p. 133

(1) **a.** Il faut regarder ce match de baseball
ce soir.
b. Il faut faire la lessive
c. Il faut inventer une nouvelle recette de
gâteau.
d. Il faut apprendre le japonais pour
travailler au Japon.

(2) **a.** au   **b.** aux   **c.** des   **d.** du

Scène 25-26 p. 143

(1) **a.** Maman va préparer le dîner.
Maman vient de préparer le dîner.
b. Vous allez prendre un bain ?
Vous venez de prendre un bain ?
c. Satoshi va sortir avec ses amis.
Satoshi vient de sortir avec ses amis.

(2) **a.** Quelle   **b.** quel
c. Quelle   **d.** quelle

(3) **a.** Il fait beau à Tokyo.
b. Il fait nuageux à Nagoya.

c. Il pleut à Kyoto.
d. Il fait chaud à Fukuoka.

Scène 27-28 p. 153

(1) **a.** J'ai regardé le match de baseball hier
soir.
b. J'ai fait une sieste cet après-midi.
c. J'ai vu des amies la semaine dernière.
d. J'ai visité le château d'Osaka le
week-end dernier.

(2) **a.** est   **b.** est   **c.** est
d. ont   **e.** sont   **f.** sont

Scène 29-30 p. 163

(1) **a.** moins   **b.** aussi
c. plus   **d.** meilleur

(2) **a.** Satoshi est le plus jeune
b. Les gâteaux de Luc sont les meilleurs
c. Yoshio aime le plus le baseball

(3) **a.** faisait   **b.** était / était
c. suis rentrée / prenait

Scène 31-32 p. 173

(1) **a.** soif   **b.** mal aux reins   **c.** envie
d. mal à l'estomac   **e.** faim

(2) **a.** l'   **b.** la   **c.** le

Scène 33-34 p. 183

(1) **a.** se dit   **b.** te couches
c. se rencontrent   **d.** se voit

(2) **a.** lui   **b.** leur   **c.** nous

Scène 35-36 p. 193

(1) **a.** Pourriez-vous me montrer votre
passeport ?
b. Je pourrais avoir une carafe d'eau ?
c. Je voudrais réserver une table pour
4 personnes pour ce soir ?

(2) **a.** Je veux que tu sois avec moi.
b. Je ne crois pas qu'elle arrive à l'heure.
c. Il faut que je parte.
d. On est contents qu'il vienne ce soir.

著者紹介

杉浦 順子（Yoriko SUGIURA）

神戸大学大学院文化学研究科博士課程単位取得退学、ルーアン大学にて博士号取得（フランス文学）。現在、広島修道大学教授。主な訳書にフィリップ・ソレルス『セリーヌ』（現代思潮新社、2011年）、アラン・バディウ、アラン・フィンケルクロート『議論して何になるのか』（共訳、水声社、2018年）がある。

的場 寿光（Toshimitsu MATOBA）

神戸大学大学院文化学研究科博士課程修了。博士（文学）。現在、島根大学特別嘱託講師。主な著書に『ベルギーを〈視る〉』（共著、松籟社、2016年）、主な訳書に、アラン・バディウ、アラン・フィンケルクロート『議論して何になるのか』（共訳、水声社、2018年）、アルフォンソ・カリオラート、ジャン＝リュック・ナンシー『神の身振り』（共訳、水声社、2013年）、アラン・ロブ＝グリエ『ある感傷的な小説』（水声社、2019年）がある。

ふら語"即席"入門　フランス人がわが家にやってきた！

2020年11月10日　初版発行

著　　　者／杉浦 順子　的場 寿光
発行・発売／トレフル出版
　　　　　　240-0022
　　　　　　神奈川県横浜市保土ヶ谷区西久保町111
　　　　　　有限会社夢舎工房内
　　　　　　TEL 045-332-7922　FAX 045-332-7922
デ ザ イ ン／小熊 未央
イ ラ ス ト／サード大沼
編　　　集／山田 仁
編 集 協 力／河合 美和
印 刷 製 本／モリモト印刷